J.M.G. Le Clézio

ル・クレジオ、文学と書物への愛を語る

ル・クレジオ　鈴木雅生 訳

作品社

ル・クレジオ、文学と書物への愛を語る

目次

序　ル・クレジオとの四十年　許鈞《シュジュン》　4

十五の講演　27

作家たちの都　28
書物と私たちの世界　48
文学の普遍性　61
書物——知の探索に乗り出す船　76
困難な時代における作家について　84
科学と文学の関係　96
現代における文学について　104

中国文学との出会い　112
文学とグローバル化　123
文学と人生　128
想像と記憶　141
自然、文学　154
文学のいま　173
夢見ること、冒険を探すこと　187
種蒔くこと　198

終わりに　211
訳註　219
訳者あとがき　232

【凡例】
・▼は訳註を示す。
・▽は附録「人名小事典」に立項されていることを示す。

序　ル・クレジオとの四十年

許鈞《シュジュン》

「燃えさかる夏の抜けるように青い空の下、身体中が幸福感に満たされ、ほとんど怖いくらいだった。少女が特に好きなのは、村の上のほうから大空に向かってどこまでも広がる、草に覆われた斜面だった」これはル・クレジオの小説『さまよえる星』の一節である。袁筱一《ユアンシャオイー》によるこの小説の中国語訳を、二〇一二年のノーベル文学賞作家莫言《モーイエン》▽は、原文が持つ生命のリズムが伝わる的確な翻訳、と評したが、実際にル・クレジオの文章は穏やかさのなかに精妙なものを感じさせ、静謐で詩情にあふれている。このような文章との出会いが心の琴線に触れ、中国の読者はル・クレジオに特別な親近感を抱くのだ。

私がル・クレジオの作品に初めて出会ったのは一九七七年、フランスに留学しているときだった。この作家の名声の原点ともいえる『調書』を読み、その不条理な雰囲気や哲学的叡智、独創的な文体、そしてなによりもアダンという主人公――狂気に取り憑《つ》かれているように見えるが、実際は極限まで研ぎ澄まされた意識を持つ主人公――に強い衝撃を受けた。一九八〇年に『砂漠』が世に出ると、ル・クレジオはこの作品によって、アカデミー・フランセーズが創設したポール・モラン文学大賞の第一回受賞者となる。南京大学中国語学科で比較文学が専門の銭林森《チエンリンセン》教授は、この本を入手するとすぐ私に紹介してくれた。『砂漠』の文体は『調書』とかけ離れており、ヒロインであるララも、アダンとは異なる印象を与える。私はこの小説を熟読玩味《がんみ》したのち、一万文字以上に及ぶ企画書と二万文字ほどの抄訳を湖南人民出版社に送った。こうして『砂漠』の中国語訳が『沙漠的女兒（沙漠の娘）』の題で一九八三年六月に出版されたのだ。一見するとこの作品は、広汎な読者の関心を引きにくいと思われるかもしれない。しかし丁寧に読めば、深い意味が見えてくるはずである。作者は、アフリカの砂漠の荒廃と貧困を西欧大都市の闇と犯罪に対比させることによって、植民地支配に対する砂漠の民の戦いと、西欧社会の暗部に対する少女ララの戦いを結びつけている。この作品は、その構成によってすぐれた芸術的独自性を示しているだけでなく、ル・クレジオの思索の深さを示しているのだ。一九八〇年代初頭に『砂漠』を翻訳しようと決めたのは、ひとつにはこの小説が現代資本主義へのイデオロギー的な批判となっているという理由からだ。しかしそれ以上に重要なのは、この作品の文学的魅力にすっかり心奪われたからにほかならない。翻訳を進めていくなかでは、さまざまな困難に突き当たった。そのようなとき、ガリマール社がル・クレジオを紹介してくれたのだった。ル・クレジオはこちらの質問のひとつひとつに的確に答えてくれたうえ、中国語版のための序文を寄せて、中国で出版されることへの感謝と、この作品についての解説を書いてくれた。

われわれが二度目に交流を持ったのは一九九二年だった。その年、私の翻訳した『調書』が安徽文芸出版社から出版されたのだ。ル・クレジオのデビュー作『調書』は、形式の面からいえば、一九六〇年代にヌーヴォー・ロマンが探究した芸術上の刷新と相通ずるものがある。けれどもル・クレジオは、思想の表現よりも形式の刷新の方を重視するようなことはなかった。本作の主人公アダン・ポロは、自然との交感を求めて家族のもとを離れる。他人の目からは、なにもせずただ海辺や大都市を彷徨《さまよ》っている青年でしかなく、やがて衆人環視の街中で支離滅裂なことを喚《わめ》いたため「狂人」として病院へ送られ、外部の世界から隔離される。『調書』は、アダンの非人間的かつ物質的、そして原始的な奇妙な感覚をもとにして、現代文明に対する主人公の厭悪を描くとともに、それを通して作者自身の現代文明についての深い考察を提示する作品だ。ル・クレジオは作家としての第一歩を踏み出した当初からすでに、確固たる人間主義《ヒューマニズム》と、現代社会の行きすぎた物質主義に対する厳しい批判を示していたのだ。

『調書』の中国語訳出版から一年後、私は長年にわたって精神的親近感を抱いていたこの作家の謦咳《けいがい》に接する機会にようやく恵まれた。一九九三年にル・クレジオ夫妻が駐中国フランス大使とともに南京を訪れたのだ。こうして初めてわれわれは、彼の作品やその中国での翻訳について膝を交えて話すことができた。ル・クレジオは私の質問に真摯《しんし》に答えるとともに、作品の中国語への翻訳を私に一任し、新しい作品が出版されるとすぐに送ってくれるようになった。このような事情から、私が博士課程で指導していた袁筱一と、南京大学の客員研究員だった李《リ》焰明《イエンミン》がル・クレジオの『戦争』、『さまよえる星』を翻訳することになったのだ。この会談の際にル・クレジオが、「私の作品を翻訳することで、あなたもその作品の創造に加わっているのです。ですからあなたにはそれなりの自由をゆだねます」と言ってくれたのは感動以外のなにものでもない。日頃から賛嘆とともにその作品を翻訳している作家が、これほどまでに自分を尊重し、信頼を寄せてくれたことに、胸がいっぱいになった。中国でル・クレジオに新たな命を吹き込むという、ほとんど神聖ともいえる仕事を担う幸運を得たことは、私にとってこのうえもない喜びだった。

一九八三年にル・クレジオの作品が初めて中国語に訳されてから、二〇〇八年に彼がノーベル文学賞を受賞するまで、二十年以上の歳月が流れた。現在、ル・クレジオの著作は、その文学的な質の高さと、変わることのない深い人間主義《ヒューマニズム》によって、中国でつねに高く評価されている。二〇〇八年一月には小説『ウラニア』（未邦訳）が人民文学出版社による最優秀外国小説賞に選ばれた。中国の読者へ宛てた手紙で、ル・クレジオは次のように書いている。「私は『ウラニア』を戦争の時代の思い出として書きました（…）。その当時、私たち兄弟は日々の苦しさから目をそらすために、想像のなかでひとつの国を作り出しました。兄はギリシア神話の本を読んだあと、その国に大空の女神ウラニアの名をつけることにしたのです。（…）それは私たちの気を大いに晴らしてくれました。それから何年かして、メキシコのミチョアカン州に暮らしていたとき、私は（…）インディオの自治都市を知りました。その町のモデルとなったのは、トマス・モア▽の『ユートピア』です。それは、階級も貧富の差もなく、誰もが自らの技術や知識を発揮することで己の役割を見出《みいだ》すことができる理想社会を作り上げようとする試みでした。もちろんこのユートピアはうまくいきませんでした。けれどもミチョアカンのインディオ、タラスコ族の人たちは、この試みをいまでも記憶にとどめています。彼らは、アメリカの影響下で現代社会を支配する野放図な資本主義の力に、日々の生活のなかで抵抗しつづけています。この経験がきっかけとなって、私もトマス・モアの著作の現代版を書いてみたくなったのです（…）。私は現代のメキシコを批判しようとしたわけでも、自分の小説に社会的意味を持たせようとしたわけでもありません。ただ、兄と私に戦時中の困難な時代を乗り越える力を与えてくれた幻想を、もう一度よみがえらせたかっただけなのです」ル・クレジオの手紙を長く引用したのは、この作家のなかにあるけっして消えることのない理想の光に心打たれたからだ。ル・クレジオはたしかに批評家であり思想家だ。しかし彼は批評をそのままの形で出すことはしない。その代わりに、子どものように脆《もろ》い魂の持ち主たちに意識を注ぎ、その傷つきやすい魂が抱いている世界への不満や正義への渇望を、繊細な感覚を通して自ら表明できるようにするのだ。この脆さや弱さの裏には、他者の痛みを自分のものとして感じる限りない力が秘められている。

二〇〇八年のノーベル文学賞受賞者を紹介するにあたって、スウェーデン・アカデミーはル・クレジオの文学的冒険と作品の詩的性質を「断絶の、詩的冒険の、感覚的恍惚の作家」と表現した。この点については、私は異なる見解を持っている。精神的探究の面では、ル・クレジオはラブレー▽以来のフランス作家に見られる人間主義《ヒューマニズム》の伝統を受け継いでいると考えるからだ。私は二〇〇二年一月にノーベル文学賞候補としてル・クレジオをスウェーデン・アカデミーに推薦したが、その際に挙げた理由のひとつがこれだった。ル・クレジオは弱者に、弱者の魂や運命に思いを寄せることをやめない。さらに、現代文明に鋭い洞察力で切り込み、それを厳しく批判する。彼の文学観はどのような形の金儲け主義とも相容れず、その文学作品が示しているのは美への渇望と、真理を明らかにすることへの渇望だけだ。さらにつけ加えたいのは、ル・クレジオが明晰なまなざしで他者を、失われた文明を、人間存在を見つめているということだ。これらの点はどれも栄誉とは無関係かもしれないが、ル・クレジオが意識的かつ真摯な作家であり、自らの責任を引き受ける覚悟を持ち、人類の運命を独自の視点からとらえ、つねに冷静さを失わずにこの世界について考えつづけているということの証であるのは確かだろう。

私はいまでも二〇〇八年一月二十八日の電話での会話を覚えている。最優秀外国小説賞の受賞を祝うため、北京にいるル・クレジオに南京から電話したのだ。いつかノーベル文学賞も取るでしょうね、と私が言うと、彼の答えは「そういったこともあるかもしれませんが、なによりも大切なのは書くこと、そして良く書くことです。私は良く書こうと最善を尽くすだけで、賞を取る取らないには関心ありません」というものだった。ル・クレジオにとっては、書くことこそが生きる意味なのだ。デカルトに倣《なら》えば「われ書く、ゆえにわれあり」となるだろう。

ル・クレジオは二〇〇八年十月にノーベル文学賞を受賞した。その喜びを伝えるために送ってくれた手紙には、メディアから逃れてイギリスの人里離れた場所に引きこもり、静かに読書と執筆をして過ごしている、とあった。私は十一月にパリの高等師範学校訪問のため渡仏する機会があり、その折にル・クレジオに会いたいと考えていた。ル・クレジオは十一月二十六日にモーリシャス島からパリに戻るので、われわれの再会は二十八日の午後にユニヴェルシテ通りのレノックス・ホテルでということになった。その日は実にたくさんのことを話した。小説の創作について、エクリチュールとの向き合い方、彼の作品の中国での翻訳。録音した会話を書き起こしたものは、「ル・クレジオ読者の会」の機関誌『カイエ・J・M・G・ル・クレジオ』第七号（二〇一四年）に発表された。また、会話の中国語訳は、聶珍釗《ニイエヂエンヂヤオ》氏の推挙もあり、『外国文学研究』第二号（二〇〇九年）に掲載されている。

パリで出会ってからも、われわれの親しい関係が途切れることはなかった。二〇一一年五月、私は上海ブック・フェア組織委員会から連絡を受けた。ル・クレジオに開会式のスピーチを依頼したいというのだ。以前から中国の親しい友人だったル・クレジオはこの招待を快諾し、八月十七日の開会式に出席してくれた。そのスピーチにつづいて、「作家たちの都」と題した公開講演をおこない、作品朗読会にも参加した。朗読会ではル・クレジオ、中国の作家畢飛宇《ビーフエイユイ》、翻訳者の袁筱一、そして私の四人のあいだで、文学や執筆活動について密度の濃いやりとりが交わされ、活気に満ちた会になった。その三日後、ル・クレジオは南京大学で名誉教授の称号を受け、「書物と私たちの世界」の題で講演をおこなった。その日の講演会場は、北京や上海や武漢からきた数多くの教員、学生、学者、研究者で立錐《りつすい》の余地もないほどだった。熱のこもった講演に応えて聴衆からも活発に質問が出されたこともあり、ル・クレジオは聴衆との交流に強い印象を受けていた。

その一年後、南京大学創立百十周年の年に、ル・クレジオはこの由緒《ゆいしよ》ある大学をふたたび訪れ、仙林キャンパスに楓《かえで》の木を植樹した。その木の成長に合わせて、ル・クレジオと南京大学を結ぶ友情も深まっていく。二〇一三年に南京大学の招聘を受けて学際的な講義を担当したのを皮切りに、毎年秋になると学生に講義をおこなうようになったのだ。テーマは年ごとに変わり、これまでに「芸術と文化の非直線的解釈」、「文学と映画——芸術間の相互作用」、「不変性と派生——世界の詩の鑑賞と解釈」、「物語芸術——小説の発生と変遷」といったものが扱われた。毎年ル・クレジオが中国に滞在するのに合わせて、彼と中国人作家との対談といった文化的イベントを開催してきたが、なかでも印象に残っているのは、莫言との三回の対談だ。最初の対談はシルクロードの起点である西安でおこなわれ、ふたりの作家は文化と精神の交流について意見を交わした。二度目の対談は、孔子▽の生まれ故郷にある山東大学で、文学と人生をめぐっておこなわれた。この対談後ふたりは莫言の故郷である高密に赴《おもむ》き、九十歳以上になる莫言の父親にも会っている。三度目は浙江大学創立百二十周年の、文学と教育をめぐる対談。ル・クレジオはほかにも余華《ユイホア》▽、畢飛宇、方方《ファンファン》、杜青鋼《ドウチンガン》といった中国の作家や学者とも対談している。もちろん私自身も、ル・クレジオとの長年にわたる交流を通して、深い友情を育んできた。昨冬は、ル・クレジオ夫妻と私たちの共通の友人である畢飛宇が私の故郷の浙江まで足を伸ばし、私が生まれた村を訪れ、両親にも会ってくれた。

　一九七七年にはじめて作品を読んで以来、もう四十年になる。こうして交流を重ねるなか、私はそのたびにル・クレジオの新たな一面を見出している。

まず気づくのは、ル・クレジオが大の読書家だということだ。中国での講演を通してでも、彼の書いた小説を通してでも明らかだが、ル・クレジオは子供の頃に読んだ本を完璧に記憶している。そうした本は、ル・クレジオに基礎知識を授けて精神的成長の端緒となり、彼のエクリチュールの基層部分を構成しているのだ。六十年以上経ったいまでも、かつて読んだ本は彼の記憶のなかにしっかりと刻まれ、知的な活力を生み出しつづけている。『黄金探索者』をはじめ、ル・クレジオが自らの幼少期の読書体験に言及している作品は、枚挙に暇《いとま》がない。

ル・クレジオと旅行をした際に気づいたのは、彼の鞄《かばん》にはいつでも本と原稿が入っていることだ。ル・クレジオは新しい小説を書きはじめるたびに、原稿の最初のページに英仏両語でいつも同じ言葉、「My soul（わが魂）」と「Ma vie（わが命）」を記す。自分が書くものを魂や命と見なしているのだ。ル・クレジオはどこへ行くにも原稿を肌身離さず持っているが、それはいままでに二回、自らの「命」である原稿を失うことがあったからだ。ひとつは博士論文の原稿で、二度と見つからなかった。もうひとつはアメリカで紛失した小説の原稿で、幸いこちらは手元に戻ってきた。われわれが一緒に旅行するとき、ル・クレジオは空いた時間があると、大学でもホテルでも列車でも、どのような場所でも静かに本を読んでいる。古今東西のあらゆる本だ。魯迅《ルーシュン》は日本留学中に二千冊以上の本を読んだというが、ル・クレジオはそれ以上に読んでいるのではないかと思えてならない。

特に関心を持っているのは中国の本で、老舎《ラオシャー》▽の作品にはずいぶん前から親しんでいた。『四世同堂』のフランス語訳にル・クレジオが序文を寄せたこと、そしてそのなかで老舎を「私の師」と呼んでいることを、われわれ中国人はみな知っている。南京大学滞在中や旅行のあいだには、『孔子語録』や『道徳経』、あるいは孟子▽や墨子▽の本を英訳で読んでいるのを目にした。また、ル・クレジオはわざわざ私のためにフランスから莫言、畢飛宇、余華といった現代中国作家のフランス語訳を持ってきてくれた。畢飛宇の作品について言えば、ル・クレジオは五、六冊は読んでいる。莫言の作品はさらに多いだろう。西安での対談の際、ル・クレジオは莫言に『豊乳肥臀』の分厚いフランス語訳を差し出し、サインを求めた。莫言は慎ましく「ル・クレジオ大兄へ、敬意をこめて」とサインしていた。ル・クレジオの鍾愛《しょうあい》は古代中国の作家にも向かっている。彼は中国古典の小説や詩を読むと、往々にしてそれを南京大学の学生たちと話し合うテーマにした。ル・クレジオにとって書物と読書へのこの愛は人生において一貫しており、書くことと密接に結びついている。

ル・クレジオについてのもうひとつの発見は、他の人の言葉にいつも耳を傾けているということだ。他者の話を傾聴するのは、人間が生きるうえで特に重要で、なににも代えがたい徳であるにもかかわらず、誰もが対人コミュニケーションの場では話すことばかりを、しかも他の人より先に話すことばかりを考える。現代の国際関係の場においては、発言権を要求することは最重要課題であるとさえ言えるだろう。けれども人間にとって大切なのは、他者の言葉を聞く術《すべ》を知ることなのだ。子供にとって自分の話にもっとも耳を傾けてくれるのは母親だ。そのため、喜んで耳を傾けてくれるのか、それとも嫌々耳を傾けるのかによって、われわれの人生に対する態度や他者に対する態度が決まるのだ。ル・クレジオは聞く術を心得ている。幼い頃から母親や祖母が話してくれる物語を聞くのが好きだった。幼少期の記憶というのはすべてを生み出す大本にほかならない。だからのちにこれらの物語が、彼のエクリチュールを支える想像力と創造力の源となっていったのだ。先ほど挙げた『黄金探索者』の冒頭にル・クレジオはこう書いている。「思い出すかぎり遠い昔から、ぼくは海の音を聞いてきた」この小説では、話者である主人公に母親がさまざまな物語を語り聞かせてくれたこと、そして妹とふたりでその物語の感想を語り合ったことが描かれている。

ル・クレジオはさまざまな民族や文明に語り継がれる伝説を聞いたり読んだりすることも好み、そういった伝説をのちに自分の小説に取り入れてもいる。万里の長城で慟哭《どうこく》する孟姜女《もうきょうじょ》、白蛇伝、龍井茶《りゅうせいちゃ》にまつわる言い伝えなど、ル・クレジオは中国の民話や伝説に注意深く耳を傾け、記憶にしっかりと刻んでいた。さらに尊敬の念を禁じ得ないのは、「名もなき人々」の声にすすんで耳を傾けようとする点だ。ル・クレジオがとりわけ関心を寄せるのは浮浪者や、犬狩りに追われ傷ついた野良犬などである。しかもただ関心を寄せるだけではない。相手の立場に自分の身を置いて、彼らの内なる声に耳を傾けるのだ。さらにル・クレジオには樹木や海に耳を傾け、心を通わせることさえできる。

ル・クレジオについての三つ目の発見は、反復を好まず冒険を好む、ということだ。つねにいまの自分を超えようとしているのだ。人間が生きていくには、たえず自らの地平を広げていかなければならない。精神性を探究するには、不断に自己を昇華させることが不可欠だ。人間はおのれを明晰に認識し、自分の見ているものだけがすべてだと思い込まないよう気をつける必要がある。ル・クレジオは未知の世界を見出したいという強い思いをいつでも持ちつづけている。同じことを繰り返すのは好まず、冒険に身を投じ、小説というエクリチュールの限界を超えることを好むのだ。ル・クレジオは七歳の頃から小説を書きはじめたという。そして幾多の経験を重ねたあと、ようやく自分に合う道を見出したのだ。自己超克はル・クレジオにとって、新たな認識や新たな世界へといたる正しい道の探究にほかならない。『調書』から『砂漠』を経て『ウラニア』にいたるまでの彼の小説は、このような超克の過程を示しているのだろう。絶えざる変化とたゆまぬ実験を繰り返しながら、ル・クレジオの詩的冒険はつづいていくのだ。

ル・クレジオが南京大学で毎年異なるテーマの講義をおこなっていることはすでに述べた。

大学教員のなかには何年にもわたって同一の講義をしているため、もう授業準備に手間をかける必要もないほど内容に精通している者もいる。ル・クレジオはそれに倣うこともできたが、そうしようとはしなかった。最初の年の講義は「芸術と文化の非直線的解釈」。この授業は、芸術の流れは多様性によって特徴づけられており、文学作品や芸術作品は、どの時代に作られたものであっても、すべて同じ価値を持っている、ということを理解させようとするものだった。どの時代においても、芸術が最高度の完成に到達するときがある。したがって芸術の流れとは、さまざまな時代の多種多様な頂点の集合体であって、時代に沿って直線的に進化していくものではない。ル・クレジオは授業を通して学生たちに、時代の異なるさまざまな文明についての見解を伝えた。この授業はすでに学生たちの口コミで大きな評判になっていたが、ル・クレジオは二年目も同じ授業を繰り返そうとはしなかった。文化についてさらに深く探究したいという思いから、新たな題目として「文学と映画——芸術間の相互作用」を選んだのだ。これは、『オデュッセイア』を皮切りに文学と映画の関係を分析することで、ジャンルの異なる芸術同士の影響関係や相互の動きに学生の目を向けさせようとする授業だった。二〇一五年もやはり同じ授業を繰り返すことを拒《こば》んで、「不変性と派生——世界の詩の鑑賞と解釈」という新たなテーマをめぐって話すことを選んだ。この授業で分析の対象となったのは、アラブ世界、古代ギリシア、ヨーロッパ、中国のさまざまな詩だった。ル・クレジオは以前から数多くの詩を読んでいた。読書を通じて見出し、知的養分として蓄えられていた無数の詩が、彼の研究者としてのまなざしのもとでひとつに合わさり、新たな発見や創造へと導いていったのだ。私はこの授業を四年目にもう一度やってくれるよう頼んでみたものの、徒労に終わった。すでに新しいテーマを考えていたからだ。「なにについ てですか?」という質問には、「小説とその語りについてです」という答えが返ってきた。「ではその次の年は?」とさらにたずねると、ル・クレジオは「とにかく同じ授業を繰り返すことはしません」と断言した。ル・クレジオは現在七十七歳、あとどれくらい南京大学で教えてくれることが可能かわからない。もし今後さらに十五年教えつづけてくれたら、自己超克をやめることのないル・クレジオは、われわれにどのようなすばらしい驚きをもたらしてくれるだろうか。

ル・クレジオについての四つ目の発見は、正義と人間主義《ヒューマニズム》の人であるということだ。彼は作品内で植民地主義を徹底的に批判し、深く考察している。われわれの交流のなかでも、日本の中国侵略を何度となく非難していた。南京大虐殺記念館の訪問後には、罪を犯してもそれを認めず、被害者に赦《ゆる》しを求めることもできない指導者は信頼に値しない、と語っていた。チェルノブイリの原発事故に関しては、ル・クレジオは率先してフランス政府と交渉にあたった。フランスには数多くの原発が稼働しているからだ。私は二〇一五年十一月にル・クレジオと一緒に華中科技大学に行ったときのことを覚えている。中国人作家の方方に誘われ、文学シンポジウムに参加したのだ。そのときのホテルで、エネルギー科学のフランス人教授とたまたま言葉を交わすことがあった。ル・クレジオはその教授に、「新たな技術によって生活は便利になりましたが、核廃棄物はどうするのでしょうか？」と質問した。その教授の答えは「科学的処理方法があります」というものだった。するとル・クレジオは「科学は私たちの安全を保証できるのですか？」とたずねた。「いまのところは保証できます」という教授の返事に、ル・クレジオはさらにつづけて、「〝いまのところ〟とはどう意味ですか？　正確にはどれくらいの期間なのですか？」、「二百年以上、あるいは三百年以上かもしれません」科学者のこの言葉を聞いて、私は割って入った。「人間の寿命は百年もありません。いま、二百年か三百年は安全だろうとおっしゃいましたが、たしかにそうであれば私たちは自分のことを心配する必要はありません。けれども後の世代はどうなるのでしょう？　どのような人でもその命には永遠の意味があります。私たちは自分の命と同じように他の人の命も大切にしなければなりません」この言葉が心に響いたのだろう、ル・クレジオは勢いよく立ち上がって私の手を強く握り、「よく言ってくれました。私も同じことを考えていたのです。私たちは同じ心を持っているのですね」と言った。その年の十一月にはパリで同時多発テロが発生した。ル・クレジオはそのニュースにとても心を痛め、こう語った。自分はふたつのことを考えている。ひとつはこの犯罪に対する非難。そしてもうひとつは起きてしまったことに対する反省だ。人間は反省なしでは生きることはできないのだから。

ル・クレジオについての五つ目の発見は、愛にあふれた人だということだ。彼の小説から感じられるのは、自然への、生命への、「名もなき人々」への愛だ。私自身もル・クレジオと交流するなかで、彼の気遣いをよく感じる。二〇一五年の秋か冬、私がしばらくのあいだ腰を痛めていた時期、ル・クレジオは心配して毎日電話をかけてきてくれた。私にできたのは、回復具合を今日は六十パーセント、次の日は六十五パーセントと、数字で伝えることだけだった。それから少しして、われわれは博雅《ボヤ》フォーラムに出席するためふたりで北京大学に赴いた。ル・クレジオはすでにスーツケースをひとつ持っていたにもかかわらず、私のスーツケースを持つと言ってきかなかった。ホテルにチェックインする際も、自分より先に私の部屋の鍵を用意するよう頼んでくれた。このような態度は学生に対しても変わらない。ル・クレジオの授業には数百人の学生が登録しているが、学期末になると提出されたすべてのレポートを丁寧に読み、コメントと評点をつけるのだった。学生たちの日々の生活、学業、健康状態、ル・クレジオはすべてに関心を寄せている。

二〇一四年十一月二十七日に文学と教育をめぐってル・クレジオと対談した際、私はその二日前の出来事を紹介した。「私たちが駅の待合室にいると、身体の不自由な母親が二歳くらいの子供を連れて前を通りました。私が反応する間もなく、ル・クレジオさんはポケットから小銭を取り出して母子に渡しました。小銭を渡すとき、ル・クレジオさんが子供の目を見て微笑《ほほえ》み、子供の方もうれしそうに微笑み返していたのが忘れられません。二歳の子供と、中国人とは違う顔をした七十を超えた老人とのあいだで起きたこの些細な出来事は、一元か二元の小銭のやりとりだけを目的とするものではなく、愛という人間のもっとも基本的な特性を示すものだったのです」私はこれまでに自分が目にしたり経験したりしたことから、ル・クレジオはすべてに対する愛に満ちている人だ、と思っている。この愛こそが生命の美の本質なのだ。ル・クレジオにとっては、たとえ小説で憎しみを扱っていても、それは愛に訴えるためにほかならない。

ル・クレジオについての六つ目の発見は、とても質素で素朴な人であるということだ。二〇〇八年一月末、中国が大雪に見舞われた冬に、ル・クレジオは最優秀外国小説賞を受けるために北京に到着した。当時はまだノーベル文学賞受賞前だったため、中国ではいまほどの影響力はなかった。作品を読んだことのないジャーナリストはほとんど関心を示すことはなく、ル・クレジオの人間性や文学創造を理解しようとせず、少し風変わりな作家だと思っただけだった。

ル・クレジオについての報道では、真冬でも履いているサンダルが「いかにもル・クレジオらしい」として取り上げられ、人々の注目を集めた。それは三十年以上も履きつづけているサンダルだった。これほどまでに大切にしているのは、アフリカの土を直《じか》に踏んだことのあるサンダルだからだ。かつて人生に迷った時期、ル・クレジオはそれを履いてアフリカの大地を歩いたという。そのサンダルが生きる力を与えてくれたため、いつまでも大事に手元に置いておき、重要な場面ではたとえ冬であってもそれを履くのだろう。私には、そこに飾り気のなさや過去への純粋なノスタルジー、人生の清澄な思い出があらわれているように思えてならない。つまり、過ぎ去った時間への敬意、生きることへの敬意だ。純粋で素朴な魂の持ち主にとって、人生は複雑さとは無縁なのだ。

ル・クレジオは質素な食事に慣れていて、豪華な宴会などはまったく好まない。これまで人類はあまりに多くのものを無駄にしてきた、これからは資源を節約し、後の世代のことをもっと考えるべきだ、というのが彼の意見なのだ。毎年ル・クレジオが南京大学で授業を担当する三カ月のあいだ、われわれは週に二回、一緒に食事をしていた。それに加えて、フランス語学科の教員が一堂に会する夕食会が二回ある。こういった支出の明細を出して明らかになったのは、三カ月近い期間に出費したのはわずか千八百元（約三万円）にすぎないという事実だった。そのためにわれわれ教員は大学食堂のスタッフから、あまりに「しみったれ」だと思われたほ

郵便はがき

料金受取人払郵便

麹町支店承認

9781

差出有効期間
2022年10月
14日まで

切手を貼らずに
お出しください

102-8790

102

［受取人］
東京都千代田区
飯田橋2－7－4

株式会社 作品社
営業部読者係 行

【書籍ご購入お申し込み欄】

お問い合わせ　作品社営業部
TEL 03(3262)9753／FAX 03(3262)9757

小社へ直接ご注文の場合は、このはがきでお申し込み下さい。宅急便でご自宅までお届けいたします。送料は冊数に関係なく500円（ただしご購入の金額が2500円以上の場合は無料）、手数料は一律300円です。お申し込みから一週間前後で宅配いたします。書籍代金（税込）、送料、手数料は、お届け時にお支払い下さい。

書名	定価　　円	冊
書名	定価　　円	冊
書名	定価　　円	冊
お名前　　TEL（　　）		
ご住所　〒		

お名前《フリガナ》　　男・女　　歳

ご住所
〒

Eメール
アドレス

ご職業

ご購入図書名

●本書をお求めになった書店名

●ご購読の新聞・雑誌名

●本書を何でお知りになりましたか。

イ　店頭で

ロ　友人・知人の推薦

ハ　広告をみて（　　　）

ニ　書評・紹介記事をみて（　　　）

ホ　その他（　　　）

●本書についてのご感想をお聞かせください。

ご購入ありがとうございました。このカードによる皆様のご意見は、今後の出版の貴重な資料として生かしていきたいと存じます。また、ご記入いただいたご住所、Eメールアドレスに、小社の出版物のご案内をさしあげることがあります。上記以外の目的で、お客様の個人情報を使用することはありません。

どだ。われわれはけっして「しみったれ」ではないのだが、そのように見えてしまったのは、ル・クレジオの好みが質素な食事だったからだ。白飯に水、それに家庭料理が三、四皿あれば充分だったのだ。

質素さというのは人生に対するル・クレジオの基本姿勢であり、それは旅においても当てはまる。私は上海空港にル・クレジオを迎えに行ったことがある。彼のスーツケースは持ち上げられないほど大きなものだった。今回はどうしてこれほど荷物が多いのかとたずねると、ル・クレジオはいたずらっぽく笑って、たくさんの宝物を詰め込んできたから、と答えた。開けてみると、必要最小限の衣服とコンピュータのほかには二種類のものだけしか入っていない。モーリシャス島のお茶といった私へのお土産と、数多くの本だ。七十冊以上はあっただろうか、そのうちの一冊はルーヴル美術館に関する大部で重い本だった。ル・クレジオにとって本は、さまざまな感情的絆の証でもある。フランスへ帰国する彼のスーツケースには、いつもたくさんの本が入っている。なかにはル・クレジオには読めない中国語の本もある。彼にとって友人たちから贈られた本は友情のしるしであり、手放す気にはなれないのだ。このような質素さを備えた人は、同時にまたこの上なく豊かな精神世界を知っている人でもある。ル・クレジオを特徴づけるこの質素さと素朴さは、現代にはびこる度を越した物質主義への批判であるとともに、人間のあるべき姿の飽くなき探究だと私は考えている。

ル・クレジオはよく私に、人間の存在理由の基盤にはふたつの感覚がある、その感覚のひとつは現在という感覚であり、現在の一秒一秒は「生命」という語よりはるかに現実味を帯びているだろう、と語る。ル・クレジオのこの言葉は、生きることと書くことの両方に光を当ててくれるものだと私には思える。そしてル・クレジオが言うもうひとつの感覚が独立という感覚だ。中国の思想家梁 漱溟《リャンシューミン》▼1は二十代で書いた『東西文化とその哲学』のなかで、人間社会の発展に必要なのは、社会を構成するひとりひとりの成熟と社会の進歩が両立することだ、と説いているが、ル・クレジオも個人というものをとても尊重している。以前彼から、人類とは何なのかについて考えてみようと言われたことがある。ル・クレジオの考えでは、人類というのは世界中にいる個々の人間の総和だ。抽象的な人類など存在しない。アメリカ人が世界のなかでもっとも重要な個人であるなどということは絶対にない。ル・クレジオの見解はドイツのナチズムや、今日ますます強く感じられる偏狭なナショナリズムに対する徹底した批判となっているだろう。ル・クレジオが強調する独立には、ふたつの重要な側面がある。まず、独立とは自由と――成長する自由、息をする自由、自己表現する自由と同義だということ。そしてさらに、独立とは個々の人間の発展と同義だということ。それなくしては、調和の取れた欠けることのない社会はけっして実現しないだろう。

こういったいくつもの発見を通じて、私はル・クレジオという人をいっそう深く知るようになった。何年にもわたってわれわれは対話や交流を数え切れないほど重ねてきたが、その一部には記録が残っている。そのなかからル・クレジオが中国でおこなった講演のテクストをまとめて読者諸氏にお届けするのが本書である。記録が残っていないものについては、変わらぬ友情の証として私個人の記憶にいつまでもとどめておくことにしたい。これから先もすばらしい交流をつづけるなかで、新たな詩的冒険の数々に立ち会うことを、そしてわれわれの結びつきがさらに豊かに深まることを願いつつ。

二〇一七年八月一日、南京、仙林にて

十五の講演

作家たちの都

いざ、この街を出《い》でて、進まむ
マルコ・ポーロ▽

本日は現代作家に投げかけられているふたつの問いに答えたいと考えています。ひとつは、都市における作家の役割はなにか、というもの。そしてもうひとつは、文学における都市の役割はなにか、というものです。

第一の問いは、人間の権利に関するものです。フランスにおいて人権が語られる際には、それは男性市民の権利についてであり、女性市民の権利についてではありません。フランス革命期の女性活動家オランプ・ド・グージュ▽は有名な建白書のなかで、国民公会に対してこの点を問いただしましたが、その結果は痛ましいものでした。反革命分子として断罪され、公共の広場（コンコルド広場）で断頭台の露と消えたのです。それとほぼ時を同じくして、フランス政治における作家（小説家、詩人、劇作家）の役割が明確になりはじめました。人間の権利の実現において作家が果たした役割はよく知られています。ヴォルテール▽、ルソー▽、ボーマルシェ▽といった人たちだけでなく、カゾット▽やアンドレ・シェニエ▽なども、政治に積極的に関与する作家――ときに自らの生命をなげうってまでも――の姿を後世に示しました。ソフィー・ド・コンドルセ▽やスタール夫人▽といった著名な女性文学者は、オランプ・ド・グージュと同じ運命をたどらぬよう、亡命せざるをえませんでした。自由を求める戦いは作家たちの創作を方向づけ、フランスのみならず、ヨーロッパ中に大きな影響を与えました。この戦いはいまでも終わっていません。その精神的遺産は、サルトル▽、カミュ▽、マルロー▽など現代のフランス作家、そしてシモーヌ・ド・ボーヴォワール▽やマルグリット・ユルスナール▽などフェミニスム作家の作品にも脈々と受け継がれているのです。この精神的遺産は、時代の流れとともにさまざまな名前を取ってきました。写実主義、自然主義、さらに時代が下ると「社会参加《アンガージュマン》の文学」（これはフランス文学独自の運動ですが）。やがて文学運動は力を失い、人々の関心は離れていきました。今日では都市における作家の位置づけの問題は、かつてと同じではありません。現代の作家は、文学にはなんらかの力や魅惑があるにしても、世界にはびこる不正も、戦争も、不景気も、なにひとつとして押しとどめることはできない、と知っています。文学はそうしたものを見張ったり告発したりしますが、その影響を被ることもあれば、あるいは哲学者のグラムシ▽が言うように、ときには都合よく利用することもあります。文学に対する疑いについては、オスカー・ワイルド▽も『ドリアン・グレイの肖像』の序文で辛辣なユーモアをこめて述べています。「文学はまったく無用である▼2」

文学とは気晴らしなのでしょうか、人を魅惑するものなのでしょうか、警鐘を鳴らすものなのでしょうか。おそらくはそのすべてを同時に含むものなのです。

ここで第二の問いを取り上げましょう。それは、書かれたもの《エクリチュール》と自然との関係はどのようなものか、という問いです。そもそも人間は自然の産物なのですから、言語も自然に属しており、その言語によって表現される夢やあこがれも自然に属しています。したがって本質的には人間と自然界のあいだに差異はなく、文学とは人間と人間以外のもの、つまり人間という部族組織と世界全体とを結びつける絆のひとつなのです。

この結びつきは、人間の根源的願望のひとつです。人間は自らを周囲の自然から切り離された存在と感じていますが、神話や伝説という形で文学が誕生してからというもの、文学は人間と自然のこの断絶に合理的な説明を与えてきました。神々や伝説的英雄、歴史上の重大な出来事があるのは、ひとえに私たちを人生の有為転変に結びつけるためです。人間は、現世での生を支える隠れた力を知ることによって、自らの生を受け入れるのです。

いつの時代でも作家たちは、より良い世界（より真正な、より理解しやすい世界）を思い描いてきました。スウィフト▽は批判をこめて同時代を風刺する一方で、馬が人間の代わりに支配する理想の国を作り出します。トマス・モア▽が作り出したのは、ルネサンス期の人文主義《ユマニスム》の思想を具現化した「ユートピア」です。（余談になりますが、スペインからメキシコに赴《おもむ》いたバスコ・デ・キロガ司教▼[3]は、モアの小説を愛読するあまり、先住民王国の廃墟の上に理想の町を一から築き上げました。現在でもパツクアロ湖のほとりにあるサンタ・フェ・デ・ラ・ラグナの村に残っています。）ラブレー▽はテレームの僧院▼[4]を、クリスティーヌ・ド・ピザン▽は「婦女の都」を作り出しました。セルバンテス▽の作品を覆っているのは、騎士ドン・キホーテの理想主義的な妄想が実現するような黄金の島への壮麗な夢です。ルネサンス期においては、詩人たちの憧憬が向かう理想世界は、アメリカ大陸や東洋に設定されました（アフリカ大陸はまずありませんでした）。後にはオセアニアにあるとされ、現実には存在しない理想の島は、愛の島にちなんで「新シテール島」と呼ばれました▼[5]（人類学者マリノフスキーはこの島を、尽きることのない性欲を持った美しい女性だけが住む場所とし、カイタルガ島と呼びました）。ある意味で文学とはまず、個人の絶対的自由や官能を求める欲望と、共同体の規範とのあいだの矛盾が顕在化する場でした。夢想するにしても、許容可能な範囲内で夢想しなければなりません。楽しませるにしても、生きる意味に背を向けてはなりません。中国文学の古典、曹雪芹《ツァオシュエチン》▽の『紅楼夢』▼[6]がその好個の例です。そこで描かれるのはありのままの現実ではなく、文官階級という、教養が権力の一変形として機能する特権的な限られた社会です。一方、古典期の朝鮮では、官能的な詩は女性の手で書かれていました。女性たちは、男性中心社会において欲望や気晴らしの対象という地位に置かれながらも、官能的な詩という手段を用いて、自分たちが持つ影響力を示したのです。文学が時代を追い越して先に進むことはまずありません。作家は男女を問わず自らの置かれている時代に規定されており、典型的な市民以外のものにはなかなかなれないでしょう。

文学が孕《はら》む大きな矛盾は、現実に存在する広大な世界（動物界、植物界、自然界）と、都市に見られるような人間社会を融和させることの困難さに由来します。何人かの例外的な作家——トルストイ▽、ショーロホフ▽、フォークナー▽、フラナリー・オコナー▽といった作家ですが——を除いては、作家というのはたいてい都市生活者であり、さらには「資産家」でした。ジョゼフ・コンラッド▽は「海の鏡」▼7（ボードレールの言葉）における冒険を書きましたが、やがて船乗りをやめ、生涯の大部分をロンドンの小さなアパートメントで過ごしました。ヴィクトル・ユゴー▽が世界全体を見渡していたのは、パリのヴォージュ広場からです。コレット▽はパレ・ロワイヤルのステュディオで執筆しながら、これ以上ないほど見事に動物や植物について語っています。ストリンドベリ▽はストックホルムの庶民的な通りにある建物の九階の部屋に閉じこもって戯曲を書き、部屋の外へ目をやるのは、雲のない夜に、空に向けた天体望遠鏡を覗いているときだけでした。マルコム・ド・シャザル▽は、絶対的なものを追い求め、レムリア大陸▼8の神話を夢見るモーリシャスの天才的詩人ですが、執筆のためには混沌とした状態が必要だと、この上なく喧噪に満ちた都市のひとつ、モーリシャス島ポート・ルイスの中心部にあるナショナル・ホテルに部屋を借りていました。

作家たちは都市でなにを追い求めているのでしょうか。もしかすると、人々が密集する都市部というのは、開かれた書物に似ているのかもしれません。大小の通りが文章のように絡《から》み合い、公共広場は常套句のように万人に開かれ、さまざまな運動を孕み、思想が行き交い、人々が雑然と入り交じり、高低の建造物がリズムを作り出す。こういったものが文学の創造と重なり合って、その着想源にも批判対象にも対位旋律にもなるのでしょう。現代の都市というのは、その暴力性や複雑さも含めて、いわば作家自身を映し出す鏡か、巨大な拡大鏡のようなものかもしれません。それを通して作家は人間関係の錯綜を見出すとともに、自分自身の姿を見出すのですから。おそらくはこれが理由で、現代の文学作品の大部分は、都市生活と密接に結びついているのでしょう。それが特に顕著なのは小説《ロマン》においてです。移民と混淆の街ニューヨークは二十世紀における小説創造の中心地です（二十一世紀もおそらくそうでありつづけるでしょう）。

例えばニューヨークに暮らすユダヤ系作家ヘンリー・ロス▽の傑作『それを眠りと呼べ』において主役を担っているのは、ニューヨークのブロンクス地区そのものです。そこではあらゆるコミュニティの子供が出会い、自分たちのあいだだけで通用するスラングが生み出されます。南北に走る路面電車の路線によってふたつに分断されたこの地区は、恋人たちの逢瀬が繰り広げられる一方、悪人たちを感電死させるような手荒い手段で決着をつけたりもする神話的な場です。都市と文学創造の関係を考える際に、ヘンリー・ロスのケースはとりわけ印象的です。この小説が一躍世界的に有名になったあと（数百万部のベストセラーになりました）、数学者でありエンジニアであり共産主義者であったロスは、共和党上院議員マッカーシーが推進する「赤狩り」によってニューヨークを離れることを余儀なくされ、筆を折ったのです。▼[9] その後はガチョウの養殖で生計を立て、つつましいトレーラーハウスで生涯を終えました。ニューメキシコ州のアルバカーキという町でのことです（私はその町でロスと知り合う機会に恵まれました）。

　ある都市と分かちがたく結びついた作家の例は枚挙に暇《いとま》がありません。バルザック▽、アナトール・フランス▽、ディケンズ▽、ドス・パソス▽、ボルヘス▽（彼の場合は夢見られた都市としてのブエノスアイレスですが）、あるいはエジプト人作家マフフーズ▽。しかし都市と人間の結びつきを考えるときにまず頭に浮かぶ作家は、おそらく中国の小説家の老舎《ラオシャー》▽でしょう。その短編小説や長編小説、なかでも『正紅旗の下で』や『四世同堂』▼[10]では、往時の北京の下町で繰り広げられる生活が描かれ、なにも知らない読者に、伝統的であると同時に現代的なこの街のすばらしい魅力を、そこの住民たちが戦争に直面したときに示す勇敢さを、そして失われつつある世界への郷愁を感じさせます。老舎の描いた北京は今日ではもはや存在しない、あるいは別の形でしか存在しないとしても、その街が現実の街であることに変わりはありません。それぞれの世代が味わう苦難の数々、奸計に走る人、妥協を選ぶ人、貧しい人々の心の美しさ、生き延びるための戦い、こういったものに私たちが抱く感情は、たとえ街の姿は満州族の時代から変化したとしても、依然として真実でありつづけます。おそらく文学の特権はここにあります。文学は、時代を超越した永遠の都市を作り出して、それを現実に存在する都市に重ね合わせることによって、どのような記念建造物よりも、どのような歴史書よりも生き生きと、その都市の過去をよみがえらせることができるのです。

先ほど、社会的動物である人間と、広大な世界とのあいだにある根本的な矛盾についてお話ししました。この矛盾はかつてないほど大きくなっています。現代の都市は休みなく拡大をつづけているのですから。人口一千万人以上の巨大都市は、いまではすべての大陸に存在しています。メキシコシティは面積の点で世界最大の都市になりつつあり、その人口がフランスやイギリスといった国の人口を超えるのも時間の問題でしょう。北京、東京、ソウル、そしてここ上海といった巨大都市の年間成長率は目がくらむほどです。このような怪物じみた都市とそこに住む作家とのあいだに、どのような関係が可能でしょうか。確実に言えるのは、現代にラスティニヤック▼11がいたとしても、丘の上からパリを眺めて「さあ、今度はおれとお前の勝負だぞ」と叫ぶことはできないだろう、ということです。バルザックであってもゾラ▽であっても、百貨店を描写したり、街路をつぶさに辿《たど》ったりといった方法では、もはや現代のような巨大都市での生活をとらえることはできません。別の次元が必要なのです。例えば、ミシェル・ビュトール▽の旅行記のタイトルを借りて「土地の精霊」と名付けることもできる、世間話や噂、三面記事にあるような些細な出来事の混合物のようなものです。あるいは、ジョイス▽が『フィネガンズ・ウェイク』でダブリンに対して試みたように、意識と無意識、潜在意識、果たされなかった出会いを通して作品を構築することが必要なのかもしれません。アイルランドの民間伝承に材を取り、死んだ酒飲みの男が、友人たちがその通夜で献杯した際にウィスキーの滴をうっかり棺《ひつぎ》にこぼしたために、生き返って墓から這《は》い出し、あてもなく狂ったように彷徨するさまを描くこの作品は、寓話として読むこともできるように思われます。私たちもまた、自分が生きる現代の都市という奇妙な場所を、自動人形のような無意識の足取りで徘徊しているのではないでしょうか。埋もれた過去の世界に足を取られ、未知の未来へと逃れ去る時間が雷光のように閃《ひらめ》く空に狂乱した頭をさらすようにしながら、徘徊しているのではないでしょうか。

このような乖離に直面して、伝統的な生活を好んだり、安らぎを第一に考えたりする一部の作家は、より正しい生き方、より人間らしい生き方へと向かいます。大地に根ざした生活への回帰の例は、場所を問わず、あらゆる社会で知られています（ただし都市化がそれほど進んでいないアフリカや南アジアの国々ではあまり見られません）。その好個の例が、『田舎《いなか》での一年』というすばらしい小著を書いたスー・ハベル▽です。大学図書館の司書をしていた彼女は、あるとき世間から遠ざかり、養蜂業に身を捧げることを決めました。こういった人たちは疑いもなく尊敬に値しますし、その著作を読むのは心地よいひとときです。しかしながらこれらの例は、自分のなかに閉じこもる姿勢のようなもの、他者からの離反のひとつの形を示していて、倫理的観点からすると、支持するのはなかなか容易ではありません。文学の本源は、はたして幸福をもたらすことにあるのでしょうか。

文学がこれほどまでに都市生活の魅惑を描くのは、そこに未来の萌芽があるからです。このことは特に小説において顕著です。小説はさまざまな要素の混合物ですが、おそらくそこには未来も含まれているのです。小説を構成しているのは、現実の一部（たとえば六十〜七十％）、無意識的記憶の一部（十五％）、欲望の一部（十四％）、そして残りが、こう言ってよければ、預言的な領域に属するものとなるでしょう。これらの部分それぞれにおいて、都市が関わっていることは明白です。現実の部分であれば「どこへ逃げるのか」という形で、記憶の部分であれば、私たちの過去はこれまでのさまざまな思想や作品が結晶化したものである、という点で関わっていますし、もちろん欲望の部分においても、現代都市（しかし現代的でない都市など存在するのでしょうか）が時間と空間に向けられた挑戦であるという意味で関わっています。預言的な部分については、おそらくはスー・ハベルが蜜蜂（これも都市を形成して生きています）の生態を観察しながら探し求めていたものと繋がっているでしょう。あるいは、アメリカ先住民やオセアニア先住民のある部族に見られる、すばらしい抵抗力と繋がっているでしょう。こういった人々は、いわゆる現代工業社会が押しつける規範に背を向けて、現実よりも想像が優位な世界、神話が人間のさまざまな苦悩や疑念に対する答えとなっている世界に、いまも生きつづけているのです。

かつて私は、そういった社会のひとつでしばらく暮らす機会に恵まれました。パナマのダリエン地方でのことです[12]。その社会は他と比べて欠陥が少ないわけでも、調和が取れているわけでもありません。たぶん同じくらいの数の犯罪者や盗人や強姦者がいるでしょう。ただ、戦争という手段に訴えることはないので、殺人者の数が少ないのは確かです。この社会は小説も演劇もまったく必要としていません。新聞やテレビ、あの頃はまだ存在してませんでしたが、もちろんインターネットもです。けれどもその社会には日常の話し言葉とは明らかに異なる詩的言語があり、必要があればその詩的言語を用いてさまざまな神話を歌劇や無言劇や舞踊といった形で演じたり、胸を手で叩いてリズムをとりながら節をつけて語ったりします。この人々と暮らした経験から私は、人間には大いなる創造性が備わっている、という確信を得ました。これによって、書くことに対する苛立たしい欲求からしばらく解放されたのです。その当時、世間と隔絶されたこの場所からカナダ人作家の友人に手紙を出したのを覚えています。手紙のなかで私は、「いまこの瞬間に自分が書きたいのはこれだ」と記し、そのあとに長い空白を置きました。しかし、私はこのような社会とは別の種類の社会で生きるように生まれついていました。だから書物と、書き散らした文章と、構想中の小説が待つ世界へと戻ったのです。それでもこの短い経験を通して、自分はいままでとは異なったやり方で都市を生きることができる、と感じました。アメリカ先住民の知恵と冒険精神のいくばくかを都市に持ち帰ることができる、そう感じたのです。あの人々が暮らす密林もまた、私たちの世界と同様にコード化された、同じくらい複雑な世界なのですから。

都市というシステムの未来を作り出すもの、それこそが都市において私を夢中にさせるものなのですが、それは壮大な建造物でも、技術者がもたらす革新でも、発明家が発揮する創意工夫の力でもありません。都市において私を惹《ひ》きつけるのは、すべてを飲みこむ旋渦《せんか》です。都市、とりわけ現代の巨大都市は、形成途中の恒星や移動中の大陸のようなもので、形と構造を刻一刻と変化させています。その変化があまりに速いために、ほんの少し目を離しただけで、もう見分けがつかなくなってしまうほどです。韓国の映画監督朴賛郁《パクチャヌク》▽は以前私に、自分はソウルの街も、生まれ育った界隈《かいわい》さえも離れたくない、戻ってきたときに見つけられないのではないかと不安だからだ、と語っていました。この思いはきっと多くの作家に共通するものでしょう。だから作家というのはあまり旅をしないのです。私自身は、どこかの都市に特別な愛着を抱いてはいません。生まれ育ったのは地中海沿岸にまどろむ小都市ニースですが、自分の幼年時代の風景――コルク材の包みやアルジェリア産ワインの大樽が積み上げられた古い港――がいずれ消え失せるだろうということは、ごく早い時期からわかっていました。このプロヴァンスの小地方都市は、いまではフランスにおける年金生活者の首都といった様相を呈していて、無為に浸された自己満足と、否定しようのない排外感情が渾然一体となって広がっています。私が自分の生まれ育った街にあまり愛着が持てない理由はそれだけではありません。家族はモーリシャス出身▼13でしたから、私はニースによそ者として生まれたのです。だからといって、モーリシャス島の方に愛着を覚えるわけでもありません。そこで育ったわけではないのですから。私はどこの土地にも属していないのです。だからこそ、どこへ行っても自分の土地にいると感じることができるのです。

私の好みが向かうのは多様な顔を持つ大都市、いろいろな人種や文化的背景の人たちが日々行き交う大都市です。それが作家には適していると思います。さらに言えば、こういった多元的都市には、書くこと（そして読むこと）を後押しする知的物質のようなものが漂っているのです。そこでは、さまざまな時代と場所が重なり合っていて、なにひとつとして確実なものはないように見えます。マフフーズが描くカイロ、クラトゥレイン・ハイダー▽の描くデリー、老舎の描く北京、ヘンリー・ロスの描くニューヨーク、これらは私が書物を通して訪れるようになった都市です。そこには過去が、まるで壁に残る張り紙の断片か、店先の古い看板――そこに書かれた穴場（Le Bon Coin）とか竹小屋（La Cabane Bambou）とか希望（L’Espérance）といった奇妙な店名はすっかり色褪《いろあ》せて読めず、もはや推測するしかない看板――のようにつきまとっています。しかしその過去は、かすかに震えたり、目配せを投げかけてきたり、意味ありげな合図を送ってきたりするだけです。過去はすぐに、現在や未来といった都市の実際の次元によってかき消されてしまいます。パリ（私には馴染《なじ》みのない街ですが）について書かれたなかでもっとも心を動かされる作品は、『人間喜劇』でも『ノートルダム・ド・パリ』でも『パリの胃袋』でもなく、ブルトン▽の『狂気の愛』――あるいはもう少し軽い筆致のものであればレーモン・クノー▽の『地下鉄のザジ』です。というのもこうした作品は、道行く人波や、街路を走るバスの騒音のなかで起こる日常生活のごく些細な瞬間をとらえることによって、パリという街の目眩《めくるめ》く陶酔を、ナジャの狂気を、モンマルトル通りのホテルの一室で『マルドロールの歌』を書く詩人イジドール・デュカスのはかり知れない孤独を、私に理解させてくれるからです。

怪物の口のようにすべてを飲みこむ旋渦のことを先ほどお話ししましたが、フランク・ノリスは『穀物取引所（*Pit*）』という作品で人を深淵に飲みこむ「落とし穴（pit）」を書きました。都市にはたしかに不幸をもたらす側面があります。終わることのない災厄とでも呼べるものが、利己主義に根ざした不正が、巨大な怪獣リヴァイアサンを思わせるものがあります。しかしその一方で、圧倒的な数がもたらす陶酔が、昂揚が、解放があります。都市ではあらゆることが可能なのです。そこでは偶然から生まれるさまざまな出会いがあります。無数の選択肢から慎重に選ぶことができます。あるいはただ単に姿を消すこともできます。作家は出会いを、耳に入ってくる言葉を、街角の情景を貪欲に求め、そういったものをきっかけとして、想像力に新たな活力を吹き込みます。そこでは地下鉄の通路さえもが冒険になるのです。小説家のナタリー・サロートはロシア出身ですが、パリ以外の場所では作品を書くことができなかったでしょう。彼女は自宅アパルトマンの一階にある、競馬好きのアルメニア人が集まる小さなカフェで執筆していました。もちろんサン＝ジェルマン＝デ＝プレ界隈のカフェは、数多くの作家の創作意欲を刺激してきました。パリの街はそれに報いるため、カフェを創作の場としたふたりの作家の名前を広場に与え、サルトル＝ボーヴォワール広場としました。カフェを創作の場とすることの危険は、ある種の浅薄さに陥る可能性があるという点です。そういった場所にあまりに足繁く通っていると、とりとめもない世間話を収集するだけのコラムニストになってしまうかもしれません。しかしその危険は、都市ではなく村にいたとしてもつきまとうのではないでしょうか。

大都市は今後いっそう拡大していくでしょう。もしかすると、いずれは地球上の可住地域の大部分を覆うことになるかもしれません。大都市というのは、現代におけるもっともすばらしい冒険、すなわち「文化の混淆」に向かって開かれています。この現象は比較的新しいものです。私はロンドンにいたときのことを思い出します。そこに住む人々はイギリス連邦[14]がもたらす豊かさを充分自覚していて、オックスフォード・ストリートでインド人実業家がシーク教徒のボディーガードと色鮮やかなサリーをまとった妻を連れていたり、ガーナの部族長が長衣に豹皮の縁なし帽の姿で歩いていたりしても、誰ひとり振り返って見ることはありませんでした。それに比べてパリの街は、かつて植民地帝国の首都だったにもかかわらず、異国的なものを自らのうちに取り込むのにずいぶん苦労しています。いまでもパリ市の役人やフランス政府の大臣は、公共の場において許される服装はどうあるべきかを重大事に考え、顔をすっかり覆った女性（あるいは男性）がシャンゼリゼ通りを行き来するのは妥当かどうか議論しています。よそ者を警戒するこの田舎気質が変な方へ向かうと、ときとして恐ろしいことになるかもしれません。かつてピョートル大帝はロシアに住む男たちに髭《ひげ》を剃るよう強制しました（イランではその逆だそうです）。また、一九四八年四月三日に起きた南朝鮮における済州島四・三事件反乱鎮圧の際には、李承晩《イスンマン》の兵は眼鏡をかけた男たちを、陰謀を企てる危険な知識分子にちがいないという理由で、全員逮捕しました。

　しかしこういった極端な例を除けば、異文化交流が実際に行われるのは現代の都市においてです。街路や公共広場は、住人たちが知り合いになったり、互いの言語や習慣を理解したり、ときには婚姻を取り結んだりする場です。このことがどうして私にとって――作家であり、そしてなによりもまず読者である私にとって重要なのでしょうか。それは、異文化交流の実践なしには文学は存在しえない、と心から信じているためです。偉大な文学作品というものは、たとえそれがある国の国民感情を具現化した象徴的なものであっても――たとえばスペインにおけるセルバンテスの『ドン・キホーテ』、アングロ・サクソン諸国におけるシェークスピア▽の『ハムレット』や『コリオレイナス』、イランにおけるサアディー▽の『薔薇園』、トルコにおけるジャラール・ウッディーン・ルーミー▽の『精神的マスナヴィー』など――、異なる文化への道を開いてくれます。なぜならそれは、ある特定の国民に向けられたものではなく、地球上のすべての人々に向けられたものだからです。普遍性だけが問題となるのではありません。むしろ世界平和が、つまり異文化間の対話が――それぞれの声が役割を担い、どの声も他に優越することがないような対話が――問題となるのです。私は曹雪芹を、そして巴金《パージン》▽や老舎を翻訳で読むことができます。それはとりもなおさず自分が中国人となることを、つまり自らの境界や確信の外へ出て、自分がその言語も歴史も知らない隣人と出会うことを受け入れた、というよりは望んだからにほかなりません。たしかにきっかけは好奇心が大半を占めていますが、好奇心こそ人間を本質的に特徴づけるものではないでしょうか。戦争はかならずしも文化的軋轢《あつれき》が引き金になるわけではありません。国家元首の狂気や経済的不均衡、あるいは征服欲が原因のこともあります。けれどもこれまで一度たりとも、文学が戦争の原因となることはありませんでした。作家はみな平和主義者だ、などと言っているのではありません。むしろその反対です。ただ、作家の書くものは全世界に向けて差し出されています。ひとつの扉を開けることができます。現代の都市はもはや、かつてアテネやローマがそうであったような、自国中心主義の牙城ではないのです。もっとも、それらの古代都市にしても、周辺民族の影響の流入を防ぐことはできませんでした。だからこそマーティン・バナール▼15は、古代ギリシア都市の中心広場をアフリカ、エジプト、インドが合流する場所として提示する示唆的な論考『黒いアテナ』を書くことができたのです。現代の巨大都市は、世界中の思想と理想とが一堂に会する公共広場です。

それがもたらす混淆を斥《しりぞ》けることはできません。歴史の舞台となった場所も、門を閉ざしていた宮殿も、世界中からやってきた訪問者に開かれ、大通りは都市の住民と移民が、富裕層と貧困層が交流する場です。昔パリ郊外に貧困層を隔離する居住区が建設されましたが、そこの住民たちがパリの中心に出て街を見たり人から見られたりするのをやめさせることはできませんでした。私たちが想像しうる未来の文学は、この出会いの運動――グローバリゼーションの唱導者たちが説くような通俗化と愚昧化のなかでの出会いではなく、万人が文化にアクセスできるなかでの出会い――から生まれる文学です。戦争を選ぶのか、それとも異文化共生を選ぶのか、それは私たちに、私たちの指導者にかかっています。

　先ほど私は、文学の預言的な部分についてお話ししました。十九世紀の半ば、歴史を通じてもっとも偏狭で自己中心的な社会のひとつ、第二帝政期のパリという冷酷な街で、ウルグアイ出身の若い移民イジドール・デュカス、またの名をロートレアモン伯爵は、おそらくはこの来たるべき文学を思い描いていました。同時代の人々の面前に『マルドロールの歌』というフランス文学史上屈指の反抗的な書物を叩きつけたあと、二十四歳というあまりに早い死によって中断してしまった比類ない作品の有無を言わせぬ結論のように、詩人は次のように断言するのです。「詩は万人によって作られるべきである。一個人によってではなく」（『ポエジー』）。

ご静聴ありがとうございました。

二〇一一年七月、ブルターニュにて擱筆《かくひつ》

（華東師範大学、上海ブック・フェア、二〇一一年八月十八〜二十日）

書物と私たちの世界

もし書物がなかったら、世界はどうなっていたでしょうか。その好個の例が、紀元三世紀から十世紀にかけてのメキシコに暮らしていた古典期マヤの人々です。この文明は、世界から孤立した環境で、過酷な気候、水や天然資源の少なさ、周辺民族の絶えざる脅威（特に「食人種《カニバル》」の語源となったカリブ諸島の民族）といった厳しい条件のもとにありながらも、信じられないほどの繁栄を遂げて、人間の知の到達を示すもの――芸術、科学、哲学――をすべて作り出しました。その数体系は、ゼロの概念や二十進法によって複雑な計算が可能でした。建造物のなかには、十万年以上も前の日付が刻まれているものもあります（マヤの民は過去の出来事の日付を記すことに多大な関心を抱いていたようです）。天文学はとても進んでいて、太陽、月、金星という三つの天体の観察にもとづく、年間誤差わずか数分という暦を使用していました。医術や建築、都市計画の知識についても、同時代のあらゆる民族をはるかに凌駕していました。芸術が洗練を極めていたことは、詩的表現をはじめ、絵画作品や浮き彫り、丸彫り、花崗岩《かこうがん》や大理石や斑岩《はんがん》の彫刻などに明らかです。冶金《やきん》技術もひじょうに進んでいて、錫《すず》がなかったため青銅器はありませんでしたが、純金製や銅製の祭具を製造していました。製陶技術の見事さは、その端正な形といい、完成度の高さといい、東洋に比肩しうるものです。

さらには象形文字を使った書記体系も存在していました。これはエジプトの神聖文字と似ていますが、ロゼッタ・ストーンに相当するものが見つかっていないため、まだ解読には至っていません。マヤの民は、イチジク科の樹皮で作った紙を亜鉛白で上塗りしたものにこの文字を記し、古代中国の書物のようにアコーデオン状に折って文書にしました。そこに書かれていたのは、歴史、天文学（添えられた図から、彼らは月蝕を予測することのできた最初の民族だと考えられます）、複雑な祭儀、そして最大の関心事である時の経過です。

けれどもマヤの民は印刷術を知りませんでした。だからこの民は姿を消してしまったのです。一五六〇年頃にスペイン人ディエゴ・デ・ランダ▼16がユカタン半島の地を踏んだとき、古典期マヤ社会はすでに消え失せていました。残されていたのは、森に点在する末裔たちの村にあった写本や祭具、そして思い出だけです。こうした過去の遺物は危険でした。新たに征服したインディオたちの反乱の火種となるおそれがあったからです。そのことを理解していたからこそデイエゴ・デ・ランダは、古代マヤの絵文書をすべてマニという町の中央広場に集め、火を放ったのです。このようにして灰燼《かいじん》に帰した宝の価値ははかりしれません。征服者のこの蛮行は、ナチス体制下の役人が西洋世界の記憶を消し去ろうとした、ニュルンベルクの燃えさかる炎〔ナチスによる焚書のこと〕を思い起こさせずにはいられません。

ここで少し想像してみましょう。グーテンベルクが中国で発明された印刷術をルネサンス時代の要請に合わせて改良し分離活字を作らなかったら、いったいどのようになっていたでしょうか。

たしかに写本は相変わらず書き写されていたでしょう。クリスティーヌ・ド・ピザン▽やマリー・ド・フランス▽の詩、『アーサー王の死』や『荷車の騎士』のような物語、『ロランの歌』、『狐物語』などは、書写本という形でのみ流布していたことを忘れてはなりません。これらは修道士たちによって動物の皮——犢皮紙《とくひし》——や木綿紙に手書きで写され、彩色文字などで装飾されました。したがって写字生の仕事は作家の仕事よりもずっと実入りのいいものでした。一冊として同じものはなく、とても高価で、領主の館で大事に保管されていました。

書物の文化は印刷術以前にもたしかに存在していました。しかし書物の稀少さゆえに、選ばれたごく少数の人たちにしか許されていませんでした。西洋でも東洋でも、大多数の人々はこの文化から切り離されたまま、近づくこともできなかったのです。知識も技術発明も思想潮流も、ごく緩慢にしか広まりませんでした。

もし印刷本がなければ、世界はまったく様相が異なっていたでしょう。それはおそらく、古代エジプトやマヤが絶大な力を持ち栄華を極めた頃の社会と似たようなものになっていたはずです。閉ざされたまま他からの影響をほとんど被ることがなく、根本的に不公平で不平等で、どうしようもないほど不安定な世界です。

このような世界——先ほど例として挙げた古典期のマヤのような世界——では、民主主義などありません。司法のもとでの平等はないも同然ですし、市民道徳の意識というものも存在しません。大多数の人たちは、大司祭や太陽王、暴君、武力を持った圧制者、洗練されていると同時に粗野なエリート層の権威に従うだけです。このような世界はせいぜい、文化的に豊かな神権政治といった世界でしかないでしょう。芸術や知識や技術が発展しても、それはごく少数の人たちのためにしかならないのです。

このような世界における知の役割は、なにかを伝えることでも、公共の進歩を追求することでもありません。知を掌握する少数者と、知を想像するだけの大多数とのあいだに、乗り越えがたい壁を打ち立てるだけです。壮麗な神殿、豪華な宮殿、さらには古代エジプトに見られるような角錐形《かくすいけい》の驚異的な墓所が作られるとしても、一般の人々はそれらがなんであるのか理解することもないまま、奴隷として建造に従事するでしょう。それは、ウラジミール・プロップ[17]が民話の分析のなかで定義したような、「竜」の社会です。

もし印刷術がなかったら、そして書物がなかったら、洋の東西を問わず、私たちの文明になにが起きていたでしょうか。きっと栄耀栄華を極めた過去の専制社会と同じことが起きたでしょう。エジプトのファラオ、ローマの皇帝、あるいはユカタン半島のマヤにおけるハラチ・ウィニク（真の人間）と呼ばれる一部の特権的エリート層のみによって支えられた社会は脆弱でした。飢饉や伝染病、宮廷内の権力闘争といった些細なきっかけで崩壊し、消え失せてしまうおそれがあったのです。ローマに蛮族が侵攻したときには、絶対的支配者として地中海を支配していた帝国は、長期にわたる暴君の統治や氏族間の反目によって、見る影もなくなっていました。アメリカ先住民の大陸にスペイン人が侵入してきたときには、マヤの民の燦爛《さんらん》たる都市も、空に届くほどの神殿も、黄金で覆われた宮殿も、もはや往事の姿はなく、密林に埋もれる廃墟にすぎませんでした。おそらくは飢えた農民たちが蜂起して圧政を打ち倒したのでしょうが、技術的手段を持っていなかったために、偉大な祖先が残した輝かしい偉業も知識も理解できなかったのです。ディエゴ・デ・ランダは絵文書を焼いたり、神々の像を破壊したりする必要などありませんでした。すでに存在しないも同然だったのですから。

歴史を書き直すというのは、いつでも魅力的です。それは私のような作家の想像力を満足させてくれますし、文化や文明の相対性——ポール・ヴァレリー▽は第一次世界大戦のあと、醒《さ》めた目で「われわれ文明なるものは、いまや滅びる運命にあることを知っている」▼18と結論づけましたが——を考えるのに役立ちます。

実際には、今日において書物のない世界を想像することは不可能でしょう。たしかに現代では、知を伝達する手段は映像やコンピュータ上のデータなど、ほかにもたくさんあります。いずれはこういった新しい手段が、グーテンベルクの発明に取って代わることになるかもしれません。けれども書物というのは人間の文化に、そして人間の精神の形と手の形に結びついた道具——ハンマーやナイフ、針、やかんといった必要不可欠な道具、あるいはヴァイオリン、縦笛、パーカッション、さらには筆と墨といった完成された道具に匹敵するような道具——なのです。書物がいつの日か、デジタルデータの単なる焼き直しにすぎなくなるとは考えられません。その物質としての具体性によって、書物は世代から世代へと受け継がれる創造性のきらめきそのものなのです。それは法律書かもしれませんし、美術書、力学概論、化学や数学の教程本かもしれません。朝鮮人の尹東柱《ユンドンジュ》▽が日本の特高警察に逮捕され拷問を受ける前に星について書いたような抵抗詩かもしれませんし、老舎《ラオシャー》▽の『正紅旗の下で』のような写実的な小説、『不思議の国のアリス』のような支離滅裂であると同時に示唆的な物語、スーフィ教徒のジャラール・ウッディーン・ルーミー▽が受けた啓示や、ローマ皇帝マルクス・アウレリウス▽が残した人世訓かもしれません。あるいは、かつてグーテンベルクが印刷し、出版の歴史において最初の書物となった聖書のような「書物のなかの書物」かもしれません。

それでも、書物が存在しない世界が到来しないよう気を配っていましょう。知恵と娯楽と既成価値の転倒とを同時に含むこの直方体がなくなってしまったら、私たちはおそらく、神権政治や専制政治の冷たい亡霊、アステカの民が「雲の蛇」と呼んでいたあの人間の心臓を貪《むさぼ》る「竜」の復活を目にすることになるのですから。

本日はこうして文学についての考えを述べる機会をいただいたので、私自身が気になっていることをお話ししておきたいと思います。

作家の経済状況が必ずしも恵まれたものでないのは事実です。詩人であれ小説家であれ、筆一本で生活していくのは容易ではありません。バイロン卿▽が『海賊』の原稿料だけで一財産築いたり、ヴィクトル・ユゴー▽が『静観詩集』の印税でガーンジー島に屋敷を購入したりできたのは、はるか昔の話です。最近、著作権代理人のフランソワ・サミュエルソン氏は、どうしてその職業を選んだのか語っていました。ジャン＝ポール・サルトル▽に会いにアメリカから来たとき、当時のフランスでもっとも偉大な哲学者であり作家であるサルトルが、目が不自由にもかかわらず、なんの援助もなくたったひとりで、ピザ屋の上にあるステュディオに暮らしているのを目の当たりにしたからだそうです。もしサミュエルソン氏が、『フランドルの道』の作者でヌーヴォー・ロマンの担い手として有名なノーベル文学賞作家クロード・シモン▽さえも貧窮生活を強いられ、国立文学基金から支給されるささやかな手当てだけでどうにか暮らしていたと知ったら、さぞ驚いたことでしょう。出版社が作家の働きに対して充分報いていないのは周知のことですし、作家が出版社に対して恨みを抱いているのも確かな事実です。これが原因で、ときに両者のあいだで気の利いた手紙が交わされることもあります。小説家のセリーヌ▽は、ガリマール出版社の創始者ガストン・ガリマールに宛てた手紙のなかで、次のようなことを言っています。「あなたはクリスマス休暇をご子息とスキーをしてお過ごしになるとか。わたしの方は、火の気のない部屋で凍えています」ガストンの方は、必ずしも正確な引用ではありませんが、こんな風に語っていたそうです。「作家というのは淫売婦と同じだ。隙あらば少しでも高い値をつける者に自分の身を売るつもりでいる」

その一方で、書物において中心的な役割を果たすこの両者が互いに深く理解し合う例や、ときには自分を省みず相手に尽くす感動的な例も多く見られます。アンリ・ミショー▽の作品は、もしポワン・デュ・ジュール社▼[19]がなかったらどうなっていたでしょう。ヌーヴォー・ロマンはミニュイ社▼[20]がなかったら、あるいはロートレアモン▽はバリトゥ▼[21]の印刷所がなかったら、どうなっていたでしょう。ガリマールの名前を挙げましたが、たしかに『新フランス評論』誌を中心とする一九三〇年代の文学――そこにはアンドレ・マルローやアンドレ・ジッド、それにアルベール・カミュといった錚々《そうそう》たる面々が名を連ねています――は、ガストン・ガリマールなしには考えることができません。しかし残念なことに、こういった作家は例外といっていいでしょう。

作家をめぐる状況が現在までに大きく改善されたとは思えません。商業第一主義の影響で、文学の存続どころか存在さえもいっそう難しくなっているかもしれません。今日において詩を出版するのは、かつての献身的な布教活動に通じるものがあります。小説はますますハリウッド映画的になる傾向が見られ、同じ素材を使った料理が延々と提供されます。違うのはわずかにソースくらいですが、そのソースにしてもますます甘ったるくなっています。

文学は文学自体を称揚するためだけにあるのではありません。

先の世紀に人種主義の諸理論が現れたとき、文化間の根本的な差異が言われました。愚にもつかない序列のようなものを持ち出して、植民地保有国の経済的成功が文化的優越なるものに結びつけられました。こうした理論は、異常な熱病の発作のように、ことあるごとにあちこちでぶり返しては、新植民地主義や帝国主義を正当化しています。ある民族は立ち遅れている、経済的後進性や技術面での前近代性のために市民権（発言権）を獲得できなかったのだ、というのです。しかし、住む場所がどこであろうと、発展の度合いがどうであろうと、世界のあらゆる民族が言語を用いているということに思いを巡らせていたでしょうか。いずれの言語も例外なく論理的かつ複雑で、堅固に構築された分析的な総体であり、世界を表現したり、知識を伝達したり、神話を生み出したりすることができるのです。ひとつだけ例を挙げましょう。パナマの密林に生きるインディオ、エンベラ族の言語です。この人々は他から孤立したまま、大きな経済的困難のなかで暮らしていますが、日常の言語に加えて、神話を伝えるための文学的言語を保有しています。このような民族をはたして未開と呼ぶことができるでしょうか。

世界中の文物が一堂に会し、さながら歴史上もっとも大規模な万国博覧会の様相を呈しているこの都市という場にいる私は、グローバル化に肩入れしようとしているのでしょうか。忘れられがちなことですが、グローバル化というこの現象は、ルネサンス期ヨーロッパにおける、オリエントや中国への旅の始まりと時を同じくしています。グローバル化それ自体は悪ではありません。相互交流は、医学においても他の諸科学においても進歩をより早めてくれます。情報が広まることによって、紛争が起こりにくくなり、世界平和が可能になるかもしれません。

脱植民地化の時代を経たいま、文学は男女を問わず現代を生きる者が自らのアイデンティティを表現する手段、己の発言権を要求し、その多様性において自らを理解してもらう手段のひとつです。マルティニク人エメ・セゼール▽、マダガスカル人ラハリマナナ▽、ケベックのアメリカ先住民イヌー族のリタ・メストコショ▽、ナイジェリア人ショインカ▽、ニューカレドニアの先住民カナックのデウェ・ゴロデー▽といった人たちの詩や、モーリシャス人アナンダ・デヴィ▽、コンゴ人ウィルフリード・ンソンデ▽、ニューメキシコ州のアメリカ先住民カイオワ族のスコット・モマディ▽、スー（ラコタ）族のシャーマン・アレクシー▽といった人たちの小説は、複合性からなる世界というものを理解させてくれます。

　文化を世界規模で考えることは、私たちすべてに関わる問題です。しかし特にその重要な役割を担っているのは読者であり、ひいては出版にたずさわる人々なのです。たしかに、カナダの北極圏に暮らす先住民が、自分を理解してもらうために征服者の言語であるフランス語や英語で書かなければならないのは不当なことです。また、モーリシャスやアンティル諸島のクレオール語が、現在メディアを絶対的に支配している五つか六つの言語と同じくらい容易に聞き届けられるなどという考えはむなしいものです。けれども翻訳を通して、世界がそういった声に耳を傾けることが可能だというのは、希望を予感させるなにか新しいものが生起しつつあるということなのです。グラムシ▽が指摘するように、たとえ文化が政治の都合のいいように利用されることが往々にしてあるとしても、世界に向けて扉を開くことは、現代を生きる人間に課せられた冒険です。それができなければ、自らの内に閉じこもったまま、硬直化してしまうでしょう。

先ほど述べたように、文化というのは私たち人類全体の共有財産です。しかし真にそうなるためには、文化にアクセスする手段がすべての人に同じように与えられる必要があるでしょう。その意味でも書物は、昔ながらのその性質ゆえに理想的な道具なのです。書物は手軽で扱いやすく安価です。特別な先進技術もいりませんし、どのような風土でもすぐ駄目になることはありません。唯一の欠点は——これはとりわけ出版にたずさわる方々に向けてお話しするのですが——多くの国においてはまだ入手が困難である、ということです。私がよく知っているモーリシャスという小さな国では、小説や詩集一冊の値段は、家計のかなりの部分に相当します。アフリカや東南アジア、メキシコ、オセアニアでは、書物は相変わらず容易に手の出せない贅沢品にとどまっています。

しかし解決策がないわけではありません。発展途上にある国々との共同出版、貸出図書館や移動図書館のための基金創設、また、一般的なことで言えば、いわゆるマイナー言語——数の上ではこちらの方が多いのですが——でなされるもろもろの要求やさまざまな作品に人々の注目がより集まることによって、文学はこれから先も、自分自身を知り他者を見出《みいだ》す素晴らしい手段、人類が奏でる合唱をそのテーマや転調のあらゆる豊かさを含めて聞き取る素晴らしい手段でありつづけることでしょう。

ご静聴ありがとうございました。

（南京大学、二〇一一年八月二十一日）

文学の普遍性

文学の普遍性、とは逆説的な言い方です。そもそも文学ほど普遍性からかけ離れているものがあるでしょうか。文学はあるひとつの言語や文化や政治状況に結びついたものであり、個別性への偏重を、地域への偏重を、広くてもせいぜい自国への偏重を表しているのです。ホメロス▽、ウェルギリウス▽、杜甫《ドゥーフー》▽、ラ・フォンテーヌ▽は、彼らを生み出した国にとっての誇りです。彼らが仕える言語（たいていは自ら選び取ったわけではありませんが）にとっての栄光です。そのうえ彼らは、その言語に長いあいだ影響を及ぼし、形を整えてしなやかさや豊かさや正確さを与えてきました。フランス・ルネサンス期の詩人▼[22]が言ったように、自らの母なる言語が過去の諸言語と遜色なく思考に奉仕しうると証明することによって、その使用を「顕揚」し「擁護」したのです。これは特に、ラテン語やギリシア語やサンスクリット語に対抗しなければならなかった近代ヨーロッパ諸語に見られます。
ある意味で作家は、その技法を駆使することで、言語間の競争――それは往々にして不当かつ不平等を助長するものでしたが――に荷担してきたとも言えます。多元多様な国々が存在するなかで、あるひとつの言語と文化の使用を押しつけるのに手を貸してきたのです。芸術というのは元来、中央権力に奉仕し、「少数派」の創出に貢献するものでした。

これは悪いことだったのでしょうか。もし大きな思想的（宗教的・哲学的）潮流がなく、国々が無数の言語ごとに分断され、言語と同じだけの数の権力――そのほとんどは部族レベルの権力でしょう――に分かれていたら、世界の文化がどのようになっていたかを想像するのは困難です。そのような状況であっても、人や物の往来、神話や伝説の相互影響、形態や思想の伝播といったものがゼロになることはなかったはずです。征服戦争や大規模紛争はなくてすんだかもしれませんが、いまよりも平和ということはなかったでしょう。言語と文化が無数に分断された状態が芸術や口承文学の分野にどのような影響を及ぼすのかについては、先住民時代のアメリカ大陸によってある程度理解することができます。人類学者のクロード・レヴィ＝ストロース▼23は、ベーリング海峡からパタゴニアにいたる南北両アメリカ大陸のさまざまな神話を分析し、そこに共通して見られる不変のものを示すとともに、その驚くべき複雑さのなかから浮かびあがってくる一貫性を明らかにしました。そこに繰り返し現れてくる主要テーマとしては、空間に四つの方位と四つの色を割り当てることや「男／女」の二元論、円環的時間の概念などがありますが、これらは極東、とりわけ中国にも見られるものです。西ヨーロッパ世界の共有遺産――社会を三身分に分ける考え方、牛の牧畜に結びついた神話――や、カルディアから受け継いだセム語族世界の共有遺産――失われた楽園の探究、偶像の禁止――は、何世紀にもわたって芸術や文学に影響を与えてきました。

けれどもイギリス演劇が生まれるためには、おそらくエリザベス一世の絶対権力が必要でした。西欧がディケンズ風のリアリズム小説を創出するためには、工業時代と植民地主義の到来が必要でした。芸術はそれを生み出した時代とけっして無縁ではありません。その時代を表現しているのであって、時代に先んじて進んでいるのではありません。芸術がなんらかの教訓を与えるとしても、それは後世に向けられたものではなく、同時代の人々に向けられたものなのです。

文学とはこのように、ある時代と場所から生まれるものです。セルバンテス▽が憂《うれ》い顔の騎士ドン・キホーテの登場する風刺物語を書いたのは、ヨーロッパにおいて市民階級が旧弊な封建制に代わって台頭してきた時期、フランスでジョルジュ・ラ・トゥール▼24が貴族を嘲弄し、ずるがしこいジプシー女のいかさまの餌食になる姿を描くのと同じ時期です。騎士道物語は時代遅れとなり、無学な冒険者たちだけが、相変わらず武勲詩やガルシ・ロドリゲス・デ・モンタルボ▽の叙事詩『アマディス・デ・ガウラ』▼[25]に触発されて、新世界の征服へと駆り立てられます。いずれにせよこの冒険者たちが知ろうともしないのは、自分たちが征服しようとしているアステカの民の側には悲観的思考と逃れられない終末の強迫観念が染みついており、そのためにこの民は自ら犠牲となることを受け入れるのだ、ということです。おそらく冒険者の方は、それを知ったところで征服の苛烈さや残忍さはなにひとつ変わらない、とわかっていたのでしょう。普遍性という考えは、征服する側にとっても征服される側にとっても、思いもつかないものでした。

本題に戻りましょう。こうしてお話ししている私は、だいぶ歳を取ってはいるものの、みなさんと別の時代の人間というわけではありませんが、昔を思い返してみますと、哲学の授業で教わったのはヨーロッパ、とりわけギリシアとローマの哲学に限られていました。三巻組の教科書——それぞれ心理学、論理学、倫理（美学は別冊でした）——の最後に、それ以外のもの、インドや日本や中国がほんの数ページだけ載っていましたが、書かれていたのは哲学についてではなく、インドでは宗教への盲信、日本では政治体制、儒教国の中国では国家の規範として制度化された慣習についてでした。そのなかに先住民時代のアメリカも、アフリカも、オセアニアもなかったことは、言うまでもありません。

あれから五十年が経ちましたが、その見方は大きく変化してはいないように思えます。例えばフランスでは、「啓蒙」の思想と一七八九年の人権宣言から脈々と受け継がれる合理的思考の優越性がいまだに強く主張されています。この遺産こそが、民族国家に唯一代わりうる、平和と調和の到来をもたらす普遍的共和制の前提である、というのです。その必然的な帰結として残念なことに、すべての文化は平等なわけではなく、生活様式や芸術や言語にはある序列が存在するのだ、という不健全な思想がふたたび立ち現れてきます。

さてここで文学について話しましょう。それこそが本日みなさんと一緒に考えるテーマなのですから。あまりに前置きが長くて、もしかすると本題から逸れているとお思いになったかもしれませんが、それは作家を歴史的文脈に位置づけるためでした。

結局のところ、作家とはいったい何者なのでしょうか。ある国に生まれてそこで教育を受け、ある言語とある文学コーパスを遺産として受け継ぎ、それを用いて自分の作品を作り出す人です。この遺産こそが、書くという天職——あるいは欲望——を決定づける重要なものです。しかしこれですべてを言い尽くしたわけではありません。作家は書いていないときでも生を営んでいます。つまり問題は、どうやって生計を立てるか、ということです。一般的に言って、作家という職業は、それに従事する者に十分な生活の資を供することはないのですから。生活の必要上、作家は教師になるかもしれません。マラルメ▽（英語教師）、ジャン＝ポール・サルトル▽（哲学教師）、あるいはジュリアン・グラック▽（地理教師）がそうでした。ラブレー▽やセリーヌ▽、アンドレ・ブルトン▽のように医者になることもあるでしょう。あるいは少々変わった仕事に従事するかもしれません。デフォー▽（毛織物商人）、トマス・モア▽（神父）、アグリッパ・ドービニエ▽（兵士）、マルコム・ド・シャザル▽（電話会社勤務）、ファン・ルルフォ▽（水道局職員）がその例です。さらにはコレット▽（パリのバタクラン劇場のヌード・ダンサー）のように、かなり変わった仕事につく者もいるでしょう。こういった職業はあくまで糊口の策にすぎず、作者の深い人格を表しているわけではありませんが、それでもやはり作者に影響を与えており、ときとしてその作品に何らかの痕跡を残すこともありました。作家とは文学を生業《なりわい》としている男女のことではありません。スタール夫人▽やプルースト▽のように働かなくても食べていける金利生活者であっても、作家は現実のなかで生活し、現実を想像力の糧《かて》としているのです。

作家とはこのように普遍性とはほど遠いところにいます。セルバンテスは自らの時代を痛烈に批判しましたが、その一方で時代精神を如実に反映してもいます。借金取りから逃げ回る日々を送り、仕官を願うもかなわず、生涯の終わり近くなっても辛酸をなめるセルバンテス。

『ドン・キホーテ』の普遍的な崇高さは、それを書いた作者がアラブ人やジプシー（ロマ）に対してあからさまに示す侮蔑と真っ向から対立しています。現代のフランス作家のなかでは、セリーヌもその女性蔑視や人種差別、そしてドストエフスキーとも共通するユダヤ人憎悪によって、曖昧な位置づけの作家です。

これは別に驚くことではありません。作家は社会生活を営み、新聞を読み、噂に耳を傾け、ときにはそれに尾ひれをつけて広めたりもします。作家にとっての第一の目的は、世界に自らの声を聞かせることではなく、周囲の人たちとともに生きることなのです。したがって往々にして、生身の作家と、一般に流布したその作家の印象とが、驚くほどかけ離れているという事態も生じます。劇作家のルネ・ド・オバルディアの話では、かつてプラハに住んでいた友人のひとりがフランツ・カフカに会ったことがあるそうです。カフカは独り閉じこもる自室（窓は教会に面していました）から時々外に出てカフェで友人たちと会い、書き上げたばかりの原稿を読み聞かせるのですが、途中で何度も朗読を中断しては大声で笑ったということです。『審判』や『変身』の作者は自分のことを滑稽話を書く作家と思っていたかもしれない、というのは、現代の読者からすれば驚き以外のなにものでもありません。この話は、生身の作家とその作品を分かつものがなんなのか、ときとして作家自身も気づいていないものがなんなのかを示しています。その部分こそがおそらくは普遍性となるのです。

ここで「普遍性（universalité）」という語が意味するものを考えてみましょう。

ロマンス諸語においては、この概念は比較的新しいものです。それはまず信仰の総体としての宗教を意味していました。そしてまた、科学（これも別の宗教です）の定義のために、天文学や物理学の分野で用いられました。万有引力、重力の法則、光の速度といったものです。法学における「普遍性」の概念はさらに新しく、革命期のヨーロッパで形作られました（まずは立憲君主制の誕生とともにイギリスで、フランスでは大革命とともに、そして時代が下って第二次世界大戦後の世界人権宣言とともに）。けれども権利の普遍性は不完全なままでした。この寛容な思想が表明されたまさにその時期、フランスとイギリスは奴隷貿易を大規模に展開し、おびただしい数の男女を隷従状態に追いやって、さまざまな植民地へ運びました。英仏の植民地拡大によって不平等にもとづく体制が打ち立てられたのですが、それはまさに共和国の理念が勝利した時代でもあったのです。どんな偉大な思想も、このように道を誤ることがあります。共和国の名のもとに、植民地軍はアフリカで、マダガスカルで、東南アジアで、オセアニアで、悪逆無道な所行の数々を犯しました。文学は、ごくわずかな例外的作品を別にすれば、抵抗勢力として輝くことはありませんでした。むしろ異国趣味の創出にあたってその悪行を利用し、やがてセリーヌやシュアレス▽の時代には人種主義という形を取るまでになったのです。芸術と人文科学の分野では、偏向的解釈が広まることになりました。カールトン・S・クーン[26]（『人種の起源』）の自民族中心主義に呼応して、芸術というものを未開芸術から古典的完成へといたるひとつの進化としてとらえる見方が生まれます。ここで普遍主義的な見方が孕《はら》む危険に気づかざるをえません。この見方は人間をある一面からしかとらえず、万人に当てはまる真理や思想へと向かう歩みの程度は、ただ技術的進歩の度合にのみ対応しているかのように思い込ませるのです。残念なことに、植民地支配の時代が終焉を迎えても、この排除の構造に終止符が打たれることはありませんでした。暴力による支配はときとして思いがけない形を取ってあらわれます。大数の法則[27]がそのひとつの例です。統計学者の言によると、ここ数年のあいだ中国では女の子の赤ん坊が少しずつ小柄になっているそうです。そこから引き出される結論はこうです。今後中国における女児の身長はこれまでより低くなるだろう。したがって世界の女児の身長もこれまでより低くなるだろう。単なる笑い話にすぎないかもしれませんが、このような類《たぐ》いの推論が政治や文化といった他の領域も蝕《むしば》むのではないかという危惧を抱いてしかるべきです。あるいは文学が世論の力に屈して、保守主義や順応主義を代弁するものとなってしまうかもしれません。選挙至上主義の政治が間違った方向に進む危険があるのは、すでに私たちが目にしているところです。バラク・オバマ氏は最近、世界情勢や危機の状況がどうであれ、モデルとなるべき生活（アメリカの生活様式［Americain way of life］）を揺るがすことはできないだろう、と宣言しなかったでしょうか。こういった圧力のもとで、普遍性がいつか（かつてそうなったのと同じように）世界のさまざまな呼びかけに耳を塞《ふさ》ぐことを意味してしまわないように、私たちは充分に気をつけている必要があります。

話を文学に戻しましょう。文学がときとして普遍的なものに触れるのは、もともと普遍性を備えているからではありません。逆説的な言い方になりますが、文学が個人的かつ個別的で、偏向しているからなのです。文学はその偏狭さゆえに普遍性を十全に持つことができるのだ、とさえ言えるかもしれません。

その極端な例として、世界中で読まれているふたりの小説家を挙げましょう。それぞれまったく異なる世界に生まれ、互いになんの共通点もない小説家です。

ひとりはマルセル・プルースト。ベル・エポック期の金利生活者というプチ・ブルジョア階級の社会（「よき時代《ベル・エポック》」と呼ばれるのは、その社会が束の間のものだったからです）を描いた『失われた時を求めて』の作者です。かつて私もそうでしたが、現代の読者はここに描かれているエゴイズムと教養とにあふれた珍妙な種族、避暑地カブールのような世間の喧噪から離れた場所に身を置いたまま、同時代のさまざまな不安など気にもとめないこの種族とは、なんのつながりもないと感じるかもしれません。けれどこの作品で私を惹《ひ》きつけるものもやはり逆説的な性質を帯びています。軽薄そのものである見せかけを一皮むけば、もろもろの情念が渦巻くいくつものドラマが繰り広げられており、それこそが表皮の下で神経がはりめぐらされた真皮を形成している、と感じるのです。時間の強迫観念、快楽にひそむ苦悩、オデットを誘惑して支配しようとするスワンの非情な駆け引き、そしてオデットを撥《は》ねつけて周囲の人々の馬鹿にしたようなまなざしの好餌に供する卑劣な仕打ち、こういったもののすべてが私の心をかき乱すと同時に感動させます。それを自分のことのように理解できるからです。もしこの一体化の作用、すなわち自他のあいだに横たわる未踏の荒れ地を切り拓いてくれる記憶の執拗な働きがなければ、もしある閉ざされた社会――異邦の民と同じくらい複雑でコード化された社会――のなかに人間性を見出《みいだ》そうとする理解力がなければ、もし作家がこのうえない優美さで私たち読者を誘《いざな》い、まるで他人の夢のなかに入り込むように――あの「さまざまな時間の糸、さまざまな歳月と世界の序列を自分のまわりに巻きつけ▼28」たまま眠る男を思い起こしてもいいかもしれません――作家が生み出した世界に引き入れてくれなければ、おそらく私がこの作品を読みながら味わう経験や驚きや魅惑は存在することができないでしょう。プルーストの作品において注意しなければならないのは、そして私たちの心を動かすのは、作品が意図するものの性質自体のなかにあります。それは、この作品全体が秘密を（あるいは現代風に言えばパスワードを）見出すという根本的な必要条件を土台として打ち立てられている、ということです。その秘密は『スワン家の方へ』の冒頭部でたった一度しか明かされません。それはスワンが語り手の祖母宅の扉を押して入ってくるときに鳴らす呼び鈴の音なのです▼29。

もうひとりの小説家として例に挙げるのは中国の老舎《ラオシャー》▽、数ある作品のなかでも特に『駱駝《らくだの》祥子《シアンツ》』、『正紅旗の下で』、『四世同堂』で世界的に有名な作家です。老舎の小説はリアリズムの流れを汲み、ディケンズ▽やバルザック▽の小説や、シンクレア・ルイス▽、ジョン・スタインベック▽の社会小説に通じるところもありますが、老舎に普遍的な性質を与えているのは、そのような目につきやすい特徴ではありません。彼の作品が力強さと崇高さを備えているのは、いずれもがある特定の不安定な歴史――二十世紀の幾多の政治的動乱や戦争によってまさに消え去ろうとしている満州族共同体の歴史――に培《つちか》われているからです。老舎の作家精神は（フォークナー▽と同じように）ある意味で歴史の流れに逆行しています。老舎が描くのは驚くほど正確で真に迫っていると同時に、幻のようにはかない世界です。それは首都や北京の「胡同《フートン》」と呼ばれる細かい路地が入り組んだ、いまだ家族のしきたりや迷信、階級的偏見が根強く残った界隈《かいわい》です。この陽気で一風変わった閉ざされた世界で、冠暁何《クアンシヤオフア》の奥方（あだ名は「カラス瓜」）に刃向かう小崔《シヤオツオイ》や、日本人に逮捕されても誇り高く抵抗する銭《チエン》先生といった登場人物たちは▼30、ときとして英雄的な顔を見せます。老舎が描く中国は、一見すると後の中国とはなんのつながりもありません。けれども私たちは、占領に抵抗したり、家庭内の悲劇に苦悩したりするこの控えめな主人公たちの生を自らのものとして生きるのです。老舎の普遍性は、自分の土地にしっかりと根ざし、執拗なまでにその過去を蘇らせようとするところから生まれます。彼自身の言葉を使えば「子供が自分の母親を愛するように」思いを寄せる生まれ故郷への愛情から生まれます。その作品は、喧噪、味わい、風味、匂い、しきたり、音楽といった、世界有数の古い歴史を持つ町の日常を形作っていたさまざまなものを倦《う》むことなく記録しつづけます。その死の直前の一九六六年、文化大革命がはじまったとき、老舎はイギリス人ジャーナリストのゲルダ▼[31]ーに次のように語っています。「私はこの闘いについて書くことができません。学生のように感じたり考えたりできないからです。（…）われわれ古い世代の人間は、われわれがこのような人間であることについて赦《ゆる》しを求めることはできません。できるのはただ、なぜこのような人間であるのかを説明し、若い世代が未来に向けて自分たちの道を見出してくれるのを後押しすることだけです」

　ここには文学と現実を分かつものがはっきりと見て取れます。老舎はいわば自分でも知らないうちに普遍性に達するのです。描き出す世界の正確さによってではなく、おのれが根ざす世界を確信し、その自分固有の世界を蘇らせることに徹底してこだわる力によって普遍性に達するのです。エジプト人のマフフーズ▽のように、そして『それを眠りと呼べ』という素晴らしい作品を書いたニューヨーカーのヘンリー・ロス▽のように、老舎は私たち読者を、自分と同じ時代を生きる者に変えるのです。

私が今日お話ししたのはプルーストと老舎についてですが、別の作家、レオポルド・サンゴール▽、エドゥアール・グリッサン▽、パール・バック▽、ドリス・シュライビ▽、あるいはナディン・ゴーディマー▽などを例として挙げることもできたかもしれません。短編小説を書いたり、創世記やコーランを翻訳したりしている詩人のジャン・グロジャン▽を挙げることもできたでしょう。グロジャンは「普遍主義」を疑っていました。そこに少数言語や少数文化（実は話者数で言えばこちらの方が多数なのですが）を脅かすような、新植民地主義にも通じるグローバル化の傾向を見ていたからです。私自身はこのような悲観的見方を共有してはいません。文学はその多様性によって、そして翻訳という素晴らしい営みによって、世界中のあらゆる声を聞かせることができる、世界平和の鍵となる異文化間交流に向けたより良い取り組みを可能にすることができる、そう信じています。先ほど私は、作家たちが持つ個別性重視という特徴や、自国偏重につながる傾向に触れました。しかし文学の使命は、自らの境界を乗り越えていくことにあると思われます。セルバンテスやシェークスピア▽や魯迅《ルーシュン》▽の作品は、すべての国の人々に向けられたものであり、性別を問わず、出自を問わず、信条を問わず、その豊かな批判精神と生命とをもたらしてくれます。

本日南京大学の創立をお祝いするにあたりひと言申し添えておきたいのは、この大学が目指すのは、知性と感性とを広大な世界へと、学問の冒険へと、コミュニケーションがもたらす恩恵へと開くことだ、という点です。教員の先生方、そして学生のみなさんが、私たちのより良い相互理解とより良い交流の大きな希望となることを願ってやみません。

（南京大学、二〇一二年五月十八日）

書物——知の探索に乗り出す船

カナダの社会学者マーシャル・マクルーハン[32]によると、私たちはヨーロッパのルネサンス期（十四世紀）に、いわゆる「グーテンベルクの銀河系」に入りました。グーテンベルクというのは、分離活字を用いて最初に聖書を印刷した人です。この新しい技術のおかげで人類は、文化が特権者だけのものである時代から、文化が万人に開かれた時代、つまり文化のグローバル化の時代へと移行したといいます。

武漢大学創立百二十周年をみなさんとお祝いできるのは、この「万人のための文化」を考えるうえでとりわけ意義深いことですし、作家としてこのお祝いの場でお話しさせていただくことを光栄に思っています。

私はかつて別の機会に、印刷術を知らない民についてお話ししたことがありました。その書物は、中国やメキシコに見られるように、イチジク科の樹皮から作られた紙を亜鉛白で白く塗りアコーデオン状に折りたたんだもので、そこに象形文字で過去の記憶が記されていました。この知識、あるいは呪術は、ごく少数の神官だけが知る特別な業《わざ》でした。メキシコでは、コルテス[33]やクリストバル・デ・オリド[34]がやってくる四百年前に古典期マヤ文明は滅亡し、その知識も一緒に失われてしまいました。わずかに残っていた絵文書も、征服者のディエゴ・デ・ランダによって町の広場で燃やされました。

はたして私たちはそれと大きく異なっているでしょうか。もし書物が存在していなければ、私たちの文化も同じようにすぐ失われてしまうのでしょうか。古来、専制政治はしばしば文化を攻撃しました。書物にはなにか恐ろしい力、暴君の力よりもはるかに強大で永続的な力が秘められていると考えたからです。秦の始皇帝は焚書によって書物を消し去ろうとしました。近いところでは、アドルフ・ヒトラーがドイツのニュルンベルクに薪《たきぎ》の山を積み上げ、独裁権力が糾弾する書物を焼き尽くそうとしました。現代でもこのような脅威を免れていないことは、最近もマリ共和国のトンブクトゥの町で図書館が略奪されたことからもわかります[35]。戦争は人々の生命を脅かすだけでなく、文化をも脅かします。いま私たちは、イラクの町バグダッドへの爆撃によって、古文書が灰燼《かいじん》に帰し、貴重な美術品が破壊され、人類共通の記憶が失われてしまったことを知っています。

しかし仮定の話をつづけましょう。もし印刷された書物が存在しなければ、現在私たちが知っているものはほとんど存在していないでしょう。大多数の人は奴隷の境遇に置かれ、学問も、そして文字すらも知らないまま成長するでしょう。おそらくは町から出ることもできず、外敵に怯《おび》えると同時に、手の届かないところにいる冷淡なエリート層が押しつけてくる非論理的で絶対的な掟に怯えながら暮らすことでしょう。人間にとって当たり前の感情だと現在の私たちに思われているものの大部分は、希望のない隷従生活のなかで禁じられ、涸《か》れ果てるでしょう。なかでも芸術は、ほとんどの人間にとって遠い蜃気楼のように、雲の穹窿《きゆうりゆう》にうつる残照として目に届くだけのぼんやりととらえがたい光のように見えるでしょう。祭儀も宗教も、あるいは単なる慣習さえもが、私たちには理解できないまま恐ろしい犠牲を強いてくるでしょう。かつて古代エジプトやマヤの民がそうだったように、子供たちは私たちの手から取り上げられ、宦官《かんがん》や娼婦にされるでしょう。私たちは支配者と同じ言語を話すことはなく、眠っているときの夢までもが大神官や占星学者に監視されるでしょう。私たちはなんの理由も持たず、名前も記憶もないまま生まれ、そして死んでいくでしょう。このような見方はあまりに極端すぎると思われるかもしれません。しかし思い出してください。十八世紀における奴隷貿易の時代にはこのような状況でした。また、ドイツ第三帝国の計画も大筋においてはこのようなものでした。私たちの父祖の勇敢さのおかげで実現せずにすみましたが。

話を書物に戻しましょう。

書物は私たちにとってこの上なく貴重な財産です。それは過去の証言であるばかりでなく、自らを取り巻く世界のより良い理解を可能にしてくれる探索船でもあります。『水滸伝』や『四世同堂』を読むことで、私は別の文化のなかに身を投じ、自分の真実とは異なるさまざまな真実を見出《みいだ》します。しかしこの冒険は同時に己の内の中国的な部分を見出すことを可能にしてくれる内的な冒険でもあります。他者を知ることは、かけがえのない富です。人が自分自身を知るのは、他者に近づくことによってなのですから。書物がなければ、このような冒険は困難、あるいは不可能です。

今日ではしきりに文化のグローバル化や、他国の文化に対する自国文化の擁護が問題とされています。たしかに祖国への愛は素晴らしい感情です。これまでにも多くの作家や芸術家の創作の源となってきました。しかし翻訳を通して他国の書物が広まることは、自国の文化を豊かにはぐくむ血液がめぐることと同じです。文化とは出会いと交流の産物にほかならず、もし純粋培養の文化などというものがあれば、それは貧血性の虚弱な文化にならざるをえないからです。老子▽もセルバンテス▽もシェークスピア▽も人類全体のものであり、書物を通してはじめて私たちはその探求に乗り出すことができるのです。こういった文化は他の文化によって脅かされるどころか、豊かになります。自らの文化しか知らない人は、その文化のごく一部しか知りません。この交流における書物の役割は現在では世界規模におよんでいます。おそらくそれは、人類がこれまでに企てたもっとも偉大な取り組みに違いありません。この取り組みの目指すところは、知を万人に開くことです。

書物を通じて知を万人に開くこと、その象徴が大学です。

印刷された書物と同じく、大学が現れたのも人類の歴史のなかでは遅くなってからです。古来より教育は学寮や宗教学校でなされ、その目的は権力者（大神官、君主、高級官吏）に奉仕する教養層を育成することでした。政治体制の変化にともない大学が現れると、まずはじめは精密科学〔数学・物理学・化学など、量的規定の論証体系に組織できる科学の総称〕と精神科学〔人間精神の所産である歴史・文化・社会などを扱う人文社会科学の総称〕が扱われました。歴史におけるもっとも悲劇的なとき――日本による侵略時の中国のような――には、大学は武力に抵抗して文化を守る避難所としての役割も果たしました。そのような時代に自由な精神と先人から受け継いだ知が生きながらえたのは大学のなかです。大学の自主独立性こそが、抵抗する力を与えていたのです。知はあらゆる政治的審級の上位にあるべきだ、という知の優越性を基盤として、大学は打ち立てられています。大学は文献研究や学術研究を通じて、世のなかのさまざまな出来事に影響されることなく、真の人間性を、無形でありながら確かに存在する精神の実質を生み出すのです。そして大学教育に価値があるのは、それが誰にでも等しく与えられている点です。たとえ困難な時代においてさえも――さまざまな特権が幅をきかす十八世紀ヨーロッパでも、帝国主義支配や植民地支配を受けた国でも――大学は学ぶ意欲や知的好奇心を示す男女に、出自や社会階層を問わず門戸を開いていました。大学は貴族階級を生み出しません。どのような特権も約束しません。いつの時代でも大学は知性と発見とに捧げられた世界を表しており、個人的蓄財や野心とは無縁です。

書物は私たちが持っているもののなかで、なによりも素晴らしく、そしてなによりも自由なものです。「書海」（書物の大海）、と中国語では言いますが、読者はその大海を自らの喜びのために、そして自らの教養のために航海することができます。書物は大学での学問研究における無尽蔵の原材料となっています。それはさまざまな形態を取ります。科学概論かもしれませんし、百科事典、歴史書、あるいは文学作品かもしれません。あらゆる場所にあり、あらゆる言語で書かれています。書物のおかげで、世界を認識することはひとつの冒険となるのです。

私たちが今日生きている世界は複雑で危険に満ちていますが、同時に驚きにあふれてもいます。さまざまな困難と幾多の凄惨な戦争を経て、いま私たちは世界平和を期待することのできる時代に入っています。知の冒険に身を投じ、他者を知るために、書物は最良の道具です。それは誰でも容易に手に取ることができ、電気も必要とせず、移動も収納も簡単です。ポケットに入れて持ち運ぶこともできます。書物は忠実な友人です。欺《あざむ》くことはありませんし、宇宙の調和などというユートピアの夢に浸らせることもありません。書物によって私たちは、他者をその美点も欠点も含めて知ることができ、異なるさまざまな文化との交流――これこそが平和を約束してくれる鍵です――が可能になるのです。

　この講演の初めに、印刷された書物がまだ存在していなかったはるか遠い昔のことをお話ししましたが、その時代は遺産としていくつかの作品を残してくれました。それらがなければ人類は精神の面でも知性の面でも進歩できなかったであろう、素晴らしい作品の数々です。ギリシアにはプラトン▽の思想だけでなく、ソフォクレス▽やエウリピデス▽の偉大な悲劇があります。イタリアにはティトス・リウィウス▽の歴史書やマルクス・アウレリウス▽の深遠な思索があります。インドには『マハーバーラタ』▼36に描かれるさまざまな伝説や、のちに『千夜一夜物語』にも影響を与えたソーマデーヴァ▽の説話集。中国には道教の経典や、孔子▽や荘子▽の思想。これらの宝は幾世紀もの時を越えて、そして往々にして多大な犠牲と引き換えに、私たちのもとまで届けられたものです。おそらくは数多くの作品が、残ることなく失われてしまったに違いありません。今日では書物や図書館のおかげで、私たちは知の持続性を信頼することができます。私たちの探究欲は、図書館のなかに広がる書物の大海がかなえてくれます。コンピュータによるヴァーチャルな書物の出現は、知のバックアップを取っておくための、さらなる安全策となっています。

しかし私たちはつねに警戒していなければなりません。秦の始皇帝やニュルンベルクの残り火が、いつまたふたたび燃えあがるかわからないのです。それを防ぐために、大学は重要な役割を担っています。だからこそ武漢大学が創立以来百二十年の時を数えたことは、人類全体にとっても喜びであるに違いありません。この大学が守り育てている記憶や、学術研究に必須の知識がなければ、私たちは寄る辺のない孤児と同じでしょう。全世界の図書館——武漢大学もその重要な一員です——が守ってくれなければ、全人類の未来はおぼつかないでしょう。書物というのは知識にとっての血液のようなものでもあります。書物がなければ、私をはじめとする作家は、自らを維持する精神的養分を受けることができないでしょう。作品を書いても、それは過去とのつながりもなければ、読者からの反応もなく、インクは無色透明の水となんら変わるところがないでしょう。

武漢大学のますますのご発展をお祈りいたします。

（武漢大学創立百二十周年によせて、二〇一三年十一月二十九日）

困難な時代における作家について

私が生まれたのは戦争のさなかで、書物が圧倒的に不足していた時代でした。七階に位置する屋根裏の小さなアパルトマンに母方の祖父母と母、兄と私で暮らしていましたが、うちには児童書はありませんでした。祖母の書棚の下の段には主として辞書や百科事典が、上の方の段には子供が読むには差し障《さわ》りがある十九世紀の小説が収められていました。私が読書の楽しさに目覚めたのは、この二段によってです。兄と私は百科事典に夢中になりました。手当たり次第にページを開いては、目に飛び込んできた見出しを適当に選び、何時間にもわたってその中を冒険したものです。そこで「mariner」という動詞を見つけたのを覚えています（この動詞は「漬け汁に漬けてマリネする」という意味ですが、船について使われると「波間にとどまる」という意味になります）。私が子供の頃に書いた本の一冊は、「地球をマリネする（Le Globe à mariner）」という架空の地誌でした。

私たち兄弟が特に夢中になったのは、一八五六年に出版された全十七巻の『会話・読書辞典』でした。これは、既婚女性が夫のサロンで有益な会話によって立派に役目を果たすことができるように、さまざまな知識を提供する辞典です。Aの「anthropophagie（食人種）」からZの「zoolâtrie（動物崇拝）」まで、それこそありとあらゆる事柄が取り上げられていましたし、アレクサンダー大王、クレオパトラ、孔子▽（「Confusius」ではなく、たしか「Konfoutcheou」のような綴《つづ》りでした）、ユリウス・カエサル、イエス・キリストといった古今東西の偉人が網羅されていました。ナポレオン一世にかなり多くのページが割かれていたのは、この辞典が出版されたのが、甥のナポレオン三世が治める第二帝政の時代だったからです。各項目の執筆者には、ジュール・ジャナン▽、ミシュレ▽、イタリアについてはスタンダール▽、イギリスについてはジェラール・ド・ネルヴァル▽と、当代一流の人たちが名を連ねていました。ただし、そのなかにヴィクトル・ユゴー▽はいません。ナポレオン三世の帝政に激しく反発し、亡命生活を送っていたのです。もちろん私たち兄弟の興味を引いたのはそういった作家たちではなく、それぞれの項目で書かれている内容でした。私たちはそれを、同時代の未知の世界に関するこの上なく正確な記述であるかのように読んでいました。いまの私は、努力なくしては教養や文化に近づくことができなかったあの時代に、いくばくかのノスタルジーを感じます。分厚い本に小さな文字がぎっしりと印刷され、挿絵など一枚もありませんでしたが、何時間も読みふけったまま、あらゆるものが欠乏した日々の生活の苦労も気にとめず、現実を忘れ去ることができました。それは、想像の世界の価値というものを、これ以上ないほど教えてくれるものだったのです。

辞書や百科事典以外の本は、祖母としては子供の手の届かないところに並べたつもりだったのでしょうが、私は踏み台に乗って自由に取っていました。七歳の頃には、モーパッサン▽やピエール・ルイス▽、アナトール・フランス▽やユイスマンス▽の短編や長編を読みました。こういった子供向けではない本を読むと、好奇心と戸惑いを感じたことを覚えています。なかでもモーパッサンの自然主義小説『女の一生』。この小説で語られているのは、貴族階級の若い女性が、不貞をはたらいた夫に騙《だま》され不幸になっていく物語ですが、あの頃の私にはきちんと理解できていなかったと思います。それでも、その波瀾に富む救いのない物語の虜《とりこ》になりました。子供だった私は、禁忌や悪徳、むごい因習といったものを見出《みいだ》しました。そしてなによりも書く技術を、読む者を登場人物の魂の奥底まで引き込む作者の手腕の見事さを見出しました。私たち読者は、まるで自分の身近な人のことが語られているかのように、結末がどうなるのかもどかしい思いで、心を締めつけられながらページをめくるのです。

いまになってみると、祖母は私たちが大人向けの小説に読みふけっていることを知っていたのだろうと思います。ただ、祖母は周りに流されない独立不羈《ふき》の精神の持ち主でしたから、私たち兄弟がそういった本から人生の教訓を学ぶことができると判断していたのでしょう。のちに祖母が他界すると（その時私はもう大人になっていました）、あの世紀末の小説たちは書棚から姿を消しました。きっと母が、こんな本は残しておく価値はない、あるいは悪趣味だ、と考えたに違いありません。しかし本がなくなって、私は悲しくなりました。他のどの本も、自分が文学と親密に結ばれているというあの感覚を与えてくれはしなかったからです。もちろん古書店で買い直すこともできたでしょう。でも仮にそうしたところで、同じ本ではなかったはずです。古色蒼然としたきわどい挿絵も、ページから立ち上る匂いも、同じではなかったはずです。

　私にとって書物はつねに、かけがえのない具体的なものとしてありました。自分で本を買えるようになると――父は「お小遣い」なるものを毛嫌いしていたので、私は書籍代を得るため古新聞を売ったり、ときにはオリーヴを圧搾所へ運んだりしなければなりませんでした――自分にとってかけがえのない一冊になると思われた本を選びました。まずはシェークスピア▽の英語版一巻本、全戯曲に加えてソネット集も収められ、有名な俳優や女優の写真も載っていました。本の扉には、前の持ち主の手で「我が信条《モットー》、自らに正直であれ」と物々しく記されてあり、それは私自身の信条《モットー》にもなりました。私はシェークスピア劇の長い科白《せりふ》を暗記しましたが、いまでもまだ覚えています。例えばリア王の叫び、「しかしわしは火の車に縛られている。自分の涙が溶けた鉛のように我が身を焦《こ》がしている」（四幕七場）。あるいは、恋人に会えない寂しさのなかにいるジュリエットの嘆き、「やさしい、やさしい、やさしい乳母よ、ねえ、わたしの愛しい人はなんと言っているの？」（二幕五場）。シェークスピアに次いで選んだものとして特に挙げられるのは、ランボーの全詩集です。なかでも『イリュミナシオン』は、十五、六歳の私にとっては、まるで天使の言葉のように謎めいて不思議な力を持っているように思えたものでした。

書くことはひとつの冒険でした。私の子供時代は、戦争のため紙や鉛筆が不足していました。六歳頃に初めて作った詩は、配給券の裏に、木工職人が使う赤青鉛筆で書かなければなりませんでした。祖父が焚木として集めた板切れに、白墨で文字や絵を書いたりもしました。やがて紙が出回るようになりました。藁の繊維から作った粗悪な紙でしたが、そこに自作の小説や詩を、活字に見えるようにと大文字を並べて書いているときほど大きな喜びは、他ではまず感じることがなかったように思います。それからずいぶん経って、十五歳で初めてタイプライターに出会ったときにも、同じ喜びを感じました。キリスト教学生青年会（ＪＥＣ）の会議室に、アンダーウッド社製のタイプライター、おそらくは戦前のものでしょう、Ｈ・Ｇ・ウェルズのタイムマシンのように威風堂々としたタイプライターが鎮座していたのです。自作の詩を持ってきた私は、キーを叩くにつれて言葉が、自分自身の言葉が次々に書かれていくのを見つめていました。たしかに現代のコンピュータは驚異的な進歩を遂げていますが、タイプライターを前にしたときのあの感動と同じものは、一度も感じたことはありません。

別の困難な時代は、私にとってはアルジェリア戦争の頃でした。いまとなってはずいぶん昔のような気がします。あの時期を境に、植民地主義の終焉と、かつて植民地政府に占領・統治されていた民族にとっての新しい時代の到来が告げられたからです。私は一九六一年の夏をよく覚えています。アルジェリア戦争が猖獗《しょうけつ》を極めていた頃で、テロによる襲撃事件も、フランス軍の暴力や略奪も、とどまるところがありませんでした。その夏のあいだ私は、まもなく自分も戦列に加わり、ただ独立を求めているだけの人たちに銃を向けなければならなくなるのだ、という思いのなかで、『調書』を書いていました。いわゆる「社会参加《アンガージュマン》の文学」はこの苦しみを説明していないように見えましたし、フランスの知識人たちは口を封じられていました。私の小説は、ひとりの青年が政治的暴力と狂気とに押しつぶされていく状況を描くものでした。この戦争が限度を超えて長期化したのは、ド・ゴール将軍があくまでアルジェリアのサハラ砂漠地帯を手放そうとしなかったからです。国連からの非難を無視して、そこで核実験をつづけるためでした。その当時は、書くことには抗議の声を上げるという意味がありました。私が

『戦争』を出版したのと同じ時期に、ジャン・ジュネは軍に反対するような戯曲を発表しましたし、ピエール・ギヨタは『五十万人の兵士の墓』を出版しました。

あの頃は誰にとっても困難な時代でした。けれども私にはこう思えるのです。現代を生きる私たちは、昔に比べて進歩し全体的に豊かになっているにもかかわらず、いっそう困難な時代を生きている。そして、作家はこの不安に満ちた時代に真正面から向き合わなければならない、と。お話ししているのは、経済危機のことではありません。私は戦後のヨーロッパで今日よりもずっと貧しい時代を過ごしました。食べ物も満足になく、継ぎ当てだらけの服を着ていました。ニースという街は、いまでこそ豪華なホテルやカジノがこれ見よがしに立ち並んでいますが、戦争直後はおびただしい数の老人が文字通り飢え死にしていたのです。薬が足りないために、ポリオに罹《かか》ったり、現代ならなんでもない百日咳のような病気で命を落としたりする子供も大勢いました。私自身も結核を患いました。それでも私には、いまの私たちの方がずっと困難な時代を生きているように思えてなりません。現代は冷たさとエゴイズムの時代です。大国が外に対して扉を閉ざし、世界の他の国々に目を向けようとしない時代です。ヨーロッパの風土病とも言うべき人種主義がふたたび姿をあらわしている時代です。私はパリやロンドンの街を歩きながら、ディケンズが書いた時代——オリヴァー・ツイストが悪党の親玉のために物乞いをさせられ、無慈悲な守銭奴スクルージ▼37が我が物顔でのさばる時代――に戻ったような気がすることがあります。着ているものや見た目は変化しましたが、人々は相変わらず互いの冷酷さに囲まれて暮らしているのです。かつて私が祖母の書棚で見つけたモーパッサンの小説『女の一生』に出てきた登場人物たち、身を持ち崩した少女や、平然と女性をもてあそぶ漁色家といった登場人物たちが、今の時代に舞い戻ってきているのではないでしょうか。

しかし最大の困難はそれではありません。結局のところ小説家、詩人、劇作家というのは注意深い証人であり、自らの書く意味や想像する意味を現実との対峙のなかで見出します。もし完全無欠の世界があったとしたら、作家はおそらく自らを無用の存在と感じるでしょう。真の困難さはむしろ容易さのなかにあります。私が申し上げたいのは、世界中どこにいてもコミュニケーションを取ることができる途方もない自由と、そこでなされるコミュニケーションの恐ろしいまでの平板さです。この容易さと平板さの元凶は映像かもしれません。ある意味これはメダルの裏面です。今日ではコンピュータやインターネットのおかげで、人は世界中のあらゆる情報を知ることができますし、世界中の人に自分のすべてを知ってもらうこともできます。批判的精神の代わりに皮肉な当てこすりが、明晰さの代わりに冷笑的態度が幅を利かせていますす。おおよそのことがわかればいい、というのが知の基準になってしまっています。

しかし、現代ではこれまでのどの時代よりも文学が必要とされている、と私には思えるのです。相反する映像や情報の氾濫に疲弊する世の中において、文学というのは緩慢さに立脚する芸術です。一瞬人目を引いたり、ちょっとした笑いやしかめ面を引き起こしたりするだけでは充分ではありません。文学は一般的なものの見方や、観念的歪曲に真っ向から逆らうものです。ナイジェリアの作家チヌア・アチェベ▽は、かつてこう言いました。「作家が書くのは薬を差し出すためではなく、頭痛を引き起こさせるためだ」文化を世界的規模でとらえたとき、それが直面している最大の困難は、その度を越した温和さのうちにあります。この生ぬるさが危険なのは、生命が持つ力を窒息させ、人種差別や外国人厭悪の欲望をソフトな見かけの下に隠蔽してしまうからです。現代世界に蔓延する不正は、相変わらず解決からはほど遠い状態です。骨肉相《あい》食《は》む抗争、悪弊、女性虐待は、多くの国で日常的に見られる光景です。このような状況は、すべての人に教育の機会を与えることによってのみ改善できるでしょう。

私たちはまた、グローバル化という危険な幻想とも戦わなければなりません。たしかにグローバル化には医学や技術の分野での明らかな進歩も含まれています。しかし同時にそれは、植民地主義の再来を見えなくさせてもいるのです。今度の植民地主義はいかにも思いやりあふれる顔をしていますが、かつての帝国主義時代のそれと同様に、危険以外のなにものでもありません。『文明の衝突』と題された著作で知られるサミュエル・ハンチントン▼38は、その有害極まりない理論のなかで「東」と「西」という古くからの敵対関係を蘇らせ、それぞれの文化を他の影響から守ろうとする動きを肯定しています。しかし文学はそのような幻想と真っ向から対立します。文学とは、たとえある特定の土地や社会や言語の産物であるにしても、その普遍性ゆえに、そういった枠の外へと出ていくものなのです。私は老舎《ラオシャー》▽の作品をフランス語訳で読むことができます。老舎は満州族出身ですし、描くのは北京の胡同《フートン》で繰り広げられる生活ですが、その細々《こまごま》とした描写を読みながら、私は自分が人類という全体に属していると感じます。老舎の小説で描かれる現実は、波乱に富むと同時に教育的な側面も備えています。読みながら私は、自分自身を別の存在に変え、その現実の一部になることを教えられるのです。もし世界がただひとつの言語、ただひとつの声、ただひとつのリズムに支配されるような安易な未来を受け入れてしまえば、それは、異なる者同士のたえまない交流という、この地球に住む人たちの精神につねに新たな酸素を供給するために必要不可欠な活動を否定することになるでしょう。

この困難な時代――おそらくは人類の歴史上もっとも困難な時代のひとつでしょう――のなかでも、私たちはまだ文学を信じることができます。文学は私たちを結びつけ構造化する共有財産です。日常的なものであると同時に崇高なものでもある言語を称揚します。私たちは翻訳を通して、教育を通して、世界についてのありのままのイメージを持つことができます。理想主義者の住むバラ色の楽園でもなければ、厚顔無恥と我利我利亡者であふれる耐えがたい地獄でもないありのままのイメージです。世代が変わるたびに、自分たちこそ最後の担い手だというかのように、それぞれがこの戦いをやり直します。人間社会というたえず動きつづけるとらえどころのない総体のなかで文学は、未来を照らす導き手でも、吹き荒《すさ》ぶ嵐を忘れる安らぎの場でもありません。目の前に伸び、前進しつづけることを可能にしてくれる道のひとつにすぎないのです。

東洋と西洋の最初の交流の中心地であったこの歴史ある広州の街で、こうしてみなさまとともに文学を称える機会をいただき、とても光栄に思っています。文学は中国文明の黎明期から存在していました。中国の歴史と調和のなかでは、作家が重要な位置を占めています。古《いにしえ》においても現代においても、作家はときとして己の命を賭してまで、自らの独立をつねに示してきました。

中国の文化で変わることがないのは、権力の暴走に対抗できる唯一の力として、書物や思想に敬意を払う点です。利潤の追求や物質的富の獲得競争に明け暮れている私たちの世界では、現代の中国社会のなかで書物やその執筆者に与えられている地位は、見習うべきものでしょう。世界中のありとあらゆる言語で書かれた作品の翻訳を質・量ともに充実させ、さまざまな外国文学へ扉を開くことは、無力ではあるが必要不可欠なこの芸術、書庫を豊かにし人々の精神を広げてくれるこの文学という芸術の連続性を約束することであると私は考えています。

本日はお招きいただきありがとうございました。

（広東外語外貿大学、二〇一三年十二月三日）

科学と文学の関係

本日このように科学週間の開会式にお招きいただいたうえ、科学と文学の関係についてお話しする機会を与えてくださった南京大学のみなさまにまずはお礼申し上げます。

中国と私はふたつの縁で結ばれています。ひとつは、フランスと中国の国交樹立後の一九六六年に、兵役代替の教授職の派遣先として中国に応募したことです。もうひとつの中国との縁は、許鈞《シュジュン》先生のおかげによるものです。許鈞先生は、私が文学作品を発表しはじめた当初からの翻訳者で、やがて親しい友人となりました。この長きにわたる友情からも、私がいつの日か中国に、とりわけ許鈞先生がいらっしゃる南京大学にやってくることは定められた運命だったのです。

こうして中国と密接な関係を結ぶようになってから、私は自分でも気づかなかった自分自身の一面を見出《みいだ》すことができました。それは、中国の歴史、哲学、人間主義《ヒューマニズム》、そして文学の分野から受けたあらゆる影響です。私は早い時期に中国文学を発見しましたが、とりわけ大きな発見は中国の近代文学と、二十世紀を代表する作家のひとりである老舎《ラオシャー》▽の小説でした。この出会いを通じて、私は文学一般について、そして文学が科学と取り結ぶ関係について、いろいろと考えるようになったのです。

まずはJ・P・サルトル▽の「実存主義はヒューマニズムであるか？」を念頭に置きながら、最初の問いを出してみたいと思います。それは「文学はヒューマニズムであるか？」というものです。これは単に形だけの問いではありません。ここ南京にやってきて、ほとんどが宇宙物理学、自然科学、医学といった理系分野を専門とする南京大学の学生に教えるようになってからというもの、専攻を問わず学生たちからこう聞かれます。作家は道徳的役割を担っているのか？　社会生活においてなんらかの責任があるのか？　作家の書くものはわれわれの日々の問題に関わっているのか？　それは人生に指針を与えてくれるのか？　人間主義《ヒューマニズム》的な価値があるのか？

これは私にとって難しい問いで、どう答えたものかいつも大いに頭を悩ませます。というのも私自身は、作家というのは道徳を説く者ではない、と強く思っているからです。ただ、そうは思っていても、この問いを突きつけられると、心がざわつくのを覚えます。私が莫言《モーイエン》▽を読むとき、畢飛宇《ビーフェイユィ》▽を読むとき、そして巴金《パージン》▽や老舎といった過去の作家を読むときに感じるのは、こういった作家たちはそれぞれ少しずつ異なってはいるものの、いずれも道徳の模範を示している、ということです。彼らはみな自分たちが生きている社会を描いている、と言ってもいいかもしれません。

イタリアの哲学者グラムシ▽はこの問いに対して、文学はブルジョア階級がブルジョア階級に向けて生産したものだと考えるがゆえに、プロレタリアは文学とは直接的な関わりを持たない、と断言しています。この過激な主張は現在にいたるまでさまざまな方面から否定されてきましたが、それでもなお、作家に向けて折に触れ投げかけられる問いの根幹をなす主張であることに変わりはありません。第二次世界大戦に先立つ時代、フランスの詩人シャルル・ペギー▽は、民衆の文化を創出することは可能か、という同じ問いを出しました。ある意味で文学とは民衆によって生み出されるべきものでしょう。けれどもつねにそうであるわけではありません。形式的完成に価値を置く動きや、知識人による綿密な分析が、ときとして文学を民衆には理解困難なものにしてしまうのです。

私の第二の問いは、科学と文学の関係、あるいは科学と芸術の関係についてです。かつては存在していた科学と芸術の結びつきは、現代ではなくなってしまったのでしょうか？　今日では、科学が芸術よりも上位にあるのでしょうか？　芸術は現実とのつながりを失ってしまったのでしょうか？　人間に備わっているふたつの性向、ふたつの理想——自然に対する正確な知識を得たいという思いと、詩や文学によって世界を魅惑に満ちたものにできればという思い——を接合させられるような人間主義《ヒューマニズム》的精神を、いまなお想像することは可能でしょうか？過去においては、科学と芸術とは緊密に結びついていました。中国には人類の偉大な知性のひとり、墨子▽がいたことを思い出しましょう。墨子は人間を探究した思想家であるにとどまらず、科学に関してもすぐれた学識を持つ人でした。伝えられるところによると、現在写真があるのは墨子のおかげだそうです。科学と芸術の接合の可能性は、かつては存在していたのです。それは今日でも存在しているでしょうか？　これが私の問いです。

おそらく大学こそが、科学と芸術の出会いの場なのでしょう。私自身のことを引き合いに出せば、ここ南京で講義、というよりは一種の交流をおこない、この大学の学生と話をすることで、教えながら学ぶという得がたい経験をさせていただきました。ここの学生の多くは専門分野が大きく異なっていますが、いずれも自由闊達な精神を備え、芸術に対してすぐれた理解力を示しています。先ほど触れたように、学生たちは宇宙物理学などを専攻していますが、絵画や建築、芸術一般について驚くほどの知識を備えているのです。これは私にとって感動的な出会いでした。科学と芸術を両立させようというこの大学の精神を体現しているからです。

先ほどの程崇慶《チエンチヨンチン》先生のお話のなかで出た「国際化」という言葉が印象に残っています。南京大学の国際化のお話でしたが、おそらくはすべての大学に当てはまるでしょう。ここで私たちに深く関わる「国際化」について少し話したいと思います。

この「国際化」が可能になるのは、語学教育や文化交流を通じてです。国際化とは文化の出会いを意味するものであり、ただ単に貿易や技術交流だけにとどまるものではありません。私は異文化交流こそが現代におけるもっとも重要な価値観だと思っています。この異文化交流の実現は可能です。ここ南京では言語教育が必須とされており、南京大学の教育でもっとも重要なもののひとつです。そしてそれは学際的な交流を意味します。私自身は理系ではありませんが、科学には賛嘆の念を抱いており、自分にそれを深く学ぶだけの能力がないことが残念でなりません。けれども私は作家として、文学を称揚する必要があります。文学には、異なる文化間の交流において、果たすべき役割があると考えているからです。

若い人が文学に無関心だ、という嘆きを最近よく耳にします。これはいわれのないことではありません。全世界的な傾向として、現代の若者は文化や書物と結びついた教育に関心を示さなくなっています。読書をまったくしない、書物を開いたこともないという人も数多く知っています。現代の世界において、これは由々しきことです。文学に対する無知によって、人間性を失った異文化交流に陥ったり、異文化交流が不足したりする危険があるからです。文学というのは、さまざまな文化を互いに結びつけ、国家間に永続的な平和を打ち立てることを可能にする架け橋です。したがって、人間精神のこの大切な要素を涵養《かんよう》し、偏狭な自国中心主義にとどまったり、理系学問ばかりを偏重したりしないよう心がけなければなりません。異なる学問分野、異なる文化へと向かうことも必要なのです。

私は老舎の作品をフランス語訳で読むことができます。翻訳を通して、老舎が人間主義《ヒューマニズム》の面で、寛容の面で、そして人間の魂の理解の面でもたらしてくれるものを感じ取ることができます。この理解はただ翻訳のみでなされるのではありません。そこに宿る不思議な力によって、テクストの深みが別の言語でも伝わることでなされるのです。翻訳が持つこの不思議な力は、人間主義《ヒューマニズム》の重要な要素です。中国とフランスの国交樹立から今年ですでに五十年が経過することを考え合わせても、翻訳活動を支援し、フランスの作品の中国での出版と、中国の作品のフランスでの出版を促進する必要性をいくら強調しても強調しすぎることはありません。このような交流は相互理解のためだけでなく、より良い調和と出会いに開かれた未来の世代を作り上げていくためにも不可欠なのです。

先ほど、若者が書物から文化や教養を得ることに関心を持たない、とお話ししましたが、少し言いすぎたかもしれません。若者は書物の代わりに新しいメディアによって、文化や教養にアクセスしているのです。この新しいメディアはなにかと非難されることもありますが、重要なものです。お話ししたいのはインターネットについてです。書物という形を取らずに読者の元に届く文学についてです。多くの作家たちとは異なり、私は紙に印刷されない電子書籍による文学を歓迎しています。これは未来における文化のあり方のひとつだと思っています。もちろん著作権の問題は出てくるでしょう。お前は自分で自分の首を絞めようとしている、と言われるかもしれません。しかし私は、六八年の五月革命の頃、書物の代わりに謄写版で文章を印刷し、街頭で無料配布しようと提案したのを覚えています。当然ながら、あまりに理想主義的すぎて実現はしませんでしたが（そもそも今の時代では謄写版がどういうものか覚えている人はもういないでしょう）。けれども私は、もし自分の本がより多くの人に届くなら、いまよりも暮らしが慎ましくなってもかまいません。作家にとって、芸術家にとって重要なのは、世界中で広く読まれたり見られたりすることだと思います。この新しい文化はまだ確固たる位置を占めるにはいたっていませんが、やがて主流になるでしょう。

私はフランス人ですが、父親の関係でモーリシャス人でもあります。モーリシャス島は一九六八年の独立当初から、中国という国家を承認する必要はありませんでした。モーリシャスと中国が長きにわたって特別な関係を保ってきたことは自明だったからです。▼39 この小国では文化はなかなか普及しません。本の価格は一家の一週間分の家計に相当し、簡単には手が届かないのです。しかし、書物という形を取らない文化、インターネット上で出版される書籍を通して、今日では多くのモーリシャス人がタブレット端末で読書をすることができます。ダウンロードにはわずかな値段しかかかりませんし、電子書籍の品揃えは他の国々よりもはるかに充実しています。このことをご紹介して、本日の私の発表を明るい展望とともに締めくくることにします。私は書物による文化がこれからも残ることを疑っていません。それは別の形式を取って存在しつづけるでしょう。そして中国にはこの分野において果たすべき大きな役割があると確信しています。

（南京大学、二〇一四年十月十七日）

現代における文学について

私は戦時中に生を受けましたが、これは不運なことでもあると同時に、幸運なことでもありました。不運というのは、食料も、医療も、安全も、すべてが欠乏していたからです。当時、私たち子供は、暴力と非常事態と夜間外出禁止令が吹き荒れる、死と隣り合わせの世界に生きていました。欠乏はそれだけではありません。文化を形作るもの、つまり書物や映画や学校、そしてなによりも家を出て外部の世界を探索する自由が欠乏していました。疎開していた山間部の村では（父がイギリス国籍だったため、母と母方の祖母はドイツ軍から身を隠す必要があったのです）、狭いアパルトマンの窓は青い紙でふさがれ、外出することができるのは、祖母について買い物に行くわずかな時間だけでした。このような状況では、文化が入り込む余地などありません。必要なのはただ生き延びること、日々の牛乳や野菜を、そしてたまにわずかばかりの肉を手に入れることだけでした。

けれどもこれは幸運でもありました。この幼年時代（六歳までの日々です）のおかげで、それまで欠乏していたすべてのものの価値を知るようになったのですから。戦後、私は書物を手にとるようになりました。祖母の書架に並んでいた本です。それは子供向けの本ではなく、もっぱら辞典類でした。私は日がな一日、細かい文字で書かれた辞書のページを読み解いたり、動植物や魚類、さまざまな種類の鉱石が描かれた図版を眺めたりしていたのを覚えています。地図をむさぼるように見つめながら、父が待つアフリカへの旅を想像のなかで先取りしたりもしました。その当時は文学がどのようなものなのか知りませんでした。モーパッサン▽の『女の一生』を開いたときは、むしろおとぎ話のように読んでいました。黒服の紳士に誘惑され肌もあらわにした若い女性の挿絵を見ても、どこか別の世界のことのように思え、落ち着かない気持ちにさえなったものです。

アフリカから戻ってきた十歳の頃、私は父方の祖父の書架にあった二冊の小説によって文学というものを発見しました。ひとつは『ラサリーリョ・デ・トルメスの生涯』▼40、強欲で性悪な盲目の男の手引きとして仕える少年の遍歴を語る、十六世紀に書かれた作者不詳の作品です。もうひとつは十七世紀スペインの古典的名作、おそらくは文学史上もっとも偉大な小説であるセルバンテス▽の『ドン・キホーテ』です。私はこの二冊に夢中になりました。そこに自分自身の感情や経験が描かれているように思えたからです。フランス語訳で読んでいた私は、作者についてなにも知らないまま、まるで自分のために特別に書かれた作品であるかのように読んでいました。その後、この書架によって、マルコ・ポーロ▽の中国での話からシェークスピア▽、ヴィクトル・ユゴー▽、チャールズ・ディケンズ▽にいたるまで、世界中の古典を見出《みいだ》すことになります。さらには、インドやモーリシャス島やアフリカに関する旅行記も読みあさりました。祖父は旅行記が好きだったのです。私は、こういった書物が実際の経験をさらに強固にし、現実の生活ですでに発見していたことに深みと真実性を与えてくれると思っていました。

祖父の蔵書には、雑誌や絵入新聞もありました。『ジュルナル・デ・ヴォワイヤージュ[41]』や『マガザン・ピトレスク[42]』などで、二十世紀初頭に発行されたものでしたが、そこに掲載されている連載小説や記事に夢中になったものです。雑誌のなかには、現在も刊行されている『両世界評論』誌や、モーリシャスの文芸誌『モーリシャス雀蜂』（誌名があらわしているように、鋭く辛辣な批評を扱う雑誌です）もありました。こういった定期刊行物の重要性に気づいたのは後になってからです。時代の最先端の知識を映し出すこれらの雑誌のおかげで、今日的課題について考察することができたのです。後年、私はふたつの文芸誌に深く関わるようになりました。ひとつはジャン・ポーラン▽が編集長を務めた『新フランス評論』、もうひとつはジョルジュ・

ランブリック▽が創刊した「実験的」雑誌『カイエ・デュ・シュマン』▼43です。この雑誌には未発表の原稿や、透写紙《トレーシングペーパー》に印刷したテクストを載せてもらいました。当時は芸術的かつ実験的な文学が力を持っていた時代でした。

　本日は『大家』誌のお招きでこうしてお話しする機会をいただいたので、私が文芸誌という媒体の有用性を確信している理由を述べたいと思います。書籍と逆で、文芸誌は部数を誇ったり、収益を気にしたりするものではありません。実際のところ、文芸誌は書籍のような幅広い読者には恵まれていないので、刊行の継続が難しくなることも往々にして起こります。けれども文学の実践において、文芸誌はなくてはならない存在です。文芸誌は多くの作家にとって――アメリカではマーク・トウェイン▽やエドガー・アラン・ポー▽、フランスではロマン・ロラン▽やポール・ヴァレリー▽、イギリスではオスカー・ワイルド▽といった作家ですが――まだ世間に知られる前でも作品を発表することのできる腕試しの場でした。それはいまでも変わっていません。文芸誌の編集者や批評家の仕事というのは、熱意と献身がなければ務まらないものです。原稿を集め、特集号を準備し、テーマを選び、さらには出資者を納得させるという並外れた精神力と自己犠牲を毎月、あるいは毎号発揮しなければならないのですから。フランスの大詩人のひとりであるシャルル・ペギー▽は、その人生のかなりの部分を、詩の雑誌『半月手帖』▼44の刊行に捧げ、ひとりで編集長、植字工、主要執筆者を兼ねていました。もし文芸誌がなければ、私たちはランボー▽やジョン・ダン▽の詩も、カミュ▽やサルトル▽のエッセイも、あるいはオスカー・ワイルドの「レディング牢獄のバラード▼45」も知らずにいたでしょう。

現代における文学の運命について語られるのをしばしば耳にします。なかには、文学はもう余命いくばくもない、インターネットや映画のような現代的メディアにまもなくその座を奪われるだろう、と言う人もいます。しかし私には、このような懐疑が理に適っているとは思えません。文学界（小説、文学的エッセイ、文芸誌）は、現代的メディアと同じ必要性に応えているわけではないからです。文学は現実の世界についての情報を与えるものではありません。日々の生活の辛さを忘れさせたり、同情の涙を流させたりすることを目的とした娯楽ではありません。

では文学はいったいなんの役に立つのでしょうか。文学というのはなによりもまず人間同士を結びつけるものだ、と私は思います。セルバンテスの『ドン・キホーテ』も、エミリー・ディキンソン▽の詩も、老舎《ラオシャー》▽の小説も、それを生み出した個々の文化のことだけを語っているのではありません。私は満州族の生まれではなく、北京の生活も知りません。中国の人たちが日本の占領下でどのような問題に直面したのかもわかりません。それでも私は『駱駝祥子《らくだのシアンツ》』や『四世同堂』を読んで心を動かされます。老舎の文章によって、自分自身を限界づけている条件から抜け出し、描かれている現実の内部に入り込むことができるからです。このような濃密で情緒的つながりを与えてくれるのが文学なのです。翻訳者たちの尽力で、文学作品は微妙に形を変えて別の文化に取りこまれ、その文化の方も取りこんだ文学作品から影響を受けるのです。

　文化のこの相互浸透と変容は、言語によって可能になります。文学とそれ以外の現代的メディアの大きな違いは、文学が伝達手段として用いるのは書き言葉——日常で話されている移ろいやすく、その場限りの言葉とは一線を画す書き言葉だ、という点です（たとえ小説家が日常をありのままに書いても、やはり日々の話し言葉と書き言葉とは別のものです）。あるいは、文学は言語についての省察だとも言えます。作家は言語を思いのままに操るのではなく、むしろ言語に仕えているからです。

　文芸誌の役割については、往々にして実験的文学との関わりのなかで語られます。私としては、実験的文学をどのように考えるべきかわかりませんし、そもそも実験的文学というものを定義できるとさえ思っていません。確実に言えるのは、商業一辺倒ではない言葉を人々のあいだに広めるにあたって、文芸誌が果たす役割はとても大きい、ということです。文芸誌がなかったら、私たちはけっしてシュルレアリスムの夢想も、ジェームズ・ジョイス▽やサミュエル・ベケット▽の非論理的な脱線話も、ジャック・プレヴェール▽の「目録▼46」も読むことができなかったでしょう。文学理論や、最先端の言語学を知ることは、人間をより深く理解し、その隠れた面を明らかにすることにつながります。その意味では、文学は現在に関わるというよりは、万古不易のものに関わっています。文学は、私たちを歴史や伝説、あるいは自然と結びつける絆を明らかにしてくれるのです。

技術専門職や実用的科学が幅を利かせる現代世界では、文学（そして文芸誌）は、かつてオスカー・ワイルドが『ドリアン・グレイの肖像』の序文で書いたように「まったく無用」に思えるかもしれません。けれども、実際の経験はそれとは逆のことを証明しているのではないでしょうか。心理的安定のためには夢が不可欠であるのと同じように、社会の安定のために芸術、とりわけ言語芸術は重要な役割を果たしています。それは成員同士の精神的なつながりを作り出して、表に現れることのない暴力を排除するのに貢献するだけではなく、異なる人々をつなぐ架け橋となって、文化の相互理解を後押しします。はじめにお話ししたことに戻りますが、私が戦時中に子供だったことで辛かったのは、この調和も空想する力も、有無をいわせず圧殺されていたからです。私にはパンと同じくらい読書と夢想が欠乏していました。人類がやがて叡智に到達し、平和を実現するだろうという希望を私たちが抱くことができるのは、芸術によって、書物によってなのです。このように文学の未来に対する信頼を述べて、私の発表を終わりにしたいと思います。麗江の街の、『大家』誌の、そしてここにいらっしゃるみなさまのますますのご発展を心からお祈りしています。

（文芸誌『大家』創刊二十周年に際して、二〇一四年十二月四日）

中国文学との出会い

私が鍾愛《しょうあい》する中国の作家について語る前に、中国との最初の出会いをお話しさせてください。それは一九六七年、兵役を務めている頃でした。当時はド・ゴール将軍によって軍隊での兵役に代わる海外協力役務が導入されており、短期間の軍隊生活を済ませば利用することができました。私は一九六六年からそれに向けて書類を準備しました。アメリカに次いでフランスが北京に大使館を再開した時代で、中国でフランス語を教える教員を募集していたのです。私は中国についてほとんどなにも知りませんでしたが、迷うことなく赴任先に中国を選びました。海外協力役務への出発を待つ何カ月かをいまでも覚えています。ニースはとても暑い夏でした。日暮れ時、空は茜色《あかねいろ》に染まり、中国の空の色そのもののように見えました。私にはそれが良い兆《きざ》しのように思えていたのです。しかし残念ながら、そんなことはありませんでした。外務省の担当部署はお役所仕事の常で融通が利かず、私の希望は却下されました。中国ではなく、タイに派遣されることになったのです。とても残念でしたが、バンコクでは中国出身の女子学生と親しくなる機会に恵まれ、中国の文化や文字の特徴をいくつか教えてもらったり、京劇に連れて行ってもらったりしました。京劇では古典を何本かと、それから比較的新しい『白毛女』▼47も観ました。これについてはフランスの文芸紙に文章を書きました。京劇で惹《ひ》きつけられたのは、私自身の文化とあまりに異なっているためというのはもちろんですが、西欧文化のリアリズムとは大きくかけ離れたその象徴性のためでもあります。それに、音楽の流動的なリズムと、（聞き慣れていない耳には）不協和音にも聞こえる音色も気に入りました。私はタイで過ごしたその年を利用して、漢字の初歩を学びました。結局のところ、その当時は中国文化に中途半端に近づいたにすぎませんでしたが、それだけでも充分に魅力的で、さらに知りたいと思うようになったのです。

その後海外協力役務の派遣先は地球の反対側のメキシコに移りましたが、私は中国文化との接点を求めつづけ、まずは孔子▽や孟子▽、それに老子▽といった大思想家のテクストを読みました。ニースの友人のなかには道教の熱心な信奉者がいて、私はその友人と一緒にテクストを研究し、熱心に議論を交わしました。ちょうど中国で文化大革命が激しさを極めていた頃で、フランスやアメリカの知識人・芸術家は、中国古典文化という偉大な規範を打ち倒すこの革命に魅了されていました。ただ、私自身はそういった熱狂を共有していなかったことを告白しなければなりません。私には、そこで否定されている孔子や老子の教えの方が、真の革命的メッセージであるように思えたのです。

やがてエチアンブル教授▼48の仕事を通して、私は中国を代表する文学作品——とりわけ曹雪芹《ツアオシユエチン》▽の『紅楼夢』と、すぐれた大衆小説である施耐庵《シーナイアン》▽の『水滸伝』をフランス語訳で読むことができました。このふたつの作品で私の心をとらえたのは、両者があまりに大きく異なっていることです。『水滸伝』では、都から遠く離れた地方を舞台に、信義に厚い一人の男▼49がさまざまな政治的擾乱《じょうらん》に巻き込まれるなかで、どのように生きなにを考えたのかが語られます。それに対して『紅楼夢』は、大貴族の館の内奥に入り込んで、そこに暮らす人々の諍《いさか》いや競争や野心を描くものですし、戦う男ではなくむしろ女性の視点を軸にしています。両者は視点が大きく異なっていますが、私にとっては、以前から近づきたいと思っていた文化の核心に迫ることを可能にしてくれる、という点で共通していました。この二冊を読んで感じたのは、かつて中国への旅が実現せず落胆したけれど、こういった文学作品を知ったことに比べれば実際に旅することはそれほど重要ではない、私は飛行機や船や鉄道に乗るよりも本を読むことによって中国の思想により深く分け入ることができるのだ、というものでした。

そのようにして知った中国は、もちろん同時代の中国ではありません。その不備が補われたのは、それから数年後に初めて老舎《ラオシャー》▽を読んだときでした。ポール・バディが翻訳した『北京の人々』というタイトルの短編集です。▼50 そこに収められた作品それぞれが、私にとっては驚きに満ちた新しい発見でした。北京で生きる慎ましい人々の暮らしが、モーパッサン▽やスタインベック▽の短編を彷彿とさせるものの、老舎独特の情感と郷愁をたたえて描かれていました。なかでも印象に残っているのは「三日月」という、母親からひどい扱いを受けて育った女性が、自ら選んで売春婦に身を落とすまでを描いた作品です。そして老舎の代表作『駱駝祥子《らくだのシアンツ》』――フランス語訳では『Pousse-pousse（人力車）』、英語訳では『Rickshaw（人力車）』という題ですが――を読んで、この作家は現代中国文学でもっとも重要な作家のひとりだと確信しました。その後私は、ポール・バディ監修でフランス語訳された老舎の大小説『四世同堂』の序文▼51を書くよう頼まれました。この小説はどの一節を取っても、ユーモアと深い心理洞察にあふれています。イギリスで暮らしていた若い頃に自身がディケンズ▽の研究をしていたこともあり、老舎はこれまでよくディケンズと比較されてきました。たしかに庶民の貧しい生活を描く点や、富者のエゴイズムと権力の腐敗があらわになった社会を舞台にする点において、どちらも同じような傾向を持っています。しかし老舎にはそれに加えて、胡同《フートン》に暮らす人々の観察によって身につけた天性の皮肉とユーモアがあります。車引きの小崔《シャオツオイ》や、その顔色と丸々太った体型からカラス瓜とあだ名がつけられた下品な年増女などは、ディケンズのスクルージのように一読忘れがたい登場人物です。

老舎を西欧の作家と分かつのは、その記憶との関係です。満州族出身のこの作家には、自らの人生の記憶や、家族がかつて政治的粛清で被った状況と結びついた根深い憂愁があります。老舎は、世界文学に名を残す何人かの大作家たち（プルースト、ジョイス、フォークナー）と同様に、自分が書いている世界への哀惜を、すでに跡形もなく姿を消してしまった世界への哀惜を抱えているのです。その思いに関しては、フランス系モーリシャス人という、かつては我が物顔で島を支配していたにもかかわらず、今日では近代化の波に飲みこまれて姿を消しつつある種族に属する私自身もまた知っていると言えるかもしれません。

老舎への関心が昂じて、私は夫人とお会いしました。老舎は一九六六年に亡くなりましたが（公式には自殺ということになっていますが、おそらくは紅衛兵の暴行と虐待によるものでしょう。紅衛兵は老舎の蔵書の大部分を焼き払いました）、夫人はその後もご存命でした。老舎が暮らしていた家を訪れ、その亡骸《なきがら》が見つかった湖のほとりまで足を伸ばし、とても感銘を受けました。私は老舎の最後の言葉を思い出します。憂いと知恵にあふれるその言葉は、一九六六年にイギリス人ジャーナリストのゲルダーから文化大革命について聞かれたときのものです。「私はこの闘いについて書くことができません。学生のように感じたり考えたりできないからです。（…）

われわれ古い世代の人間は、われわれがこのような人間であることについて赦《ゆる》しを求めることはできません。できるのはただ、なぜこのような人間であるのかを説明し、若い世代が未来に向けて自分たちの道を見出してくれるのを後押しすることだけです」

老舎の最後のメッセージには、この世代の作家たちを特徴づける、悲しみと希望の入り混じった思いがこもっているような気がします。

私と中国文学とのつながりは、年を追うごとに深まっていきました。特に、私の作品の長年にわたる翻訳者で、親しい友人でもある許鈞《シュジュン》先生のご尽力で、南京大学の学生たちと会うことができるようになってからです。江蘇省で過ごした日々は、私にさまざまなことを教えてくれました。かの『西遊記』を書いた呉承恩《ウーチョンエン》▽や『紅楼夢』の曹雪芹、そして『大地』（フランス語訳の題は『中国の大地』）の作者パール・バック▽にいたるまで、何人ものすぐれた作家を生み出した大地をこの身で直《じか》に感じることができたからです。南京ではパール・バックが暮らした家の近所に八十年の時を隔てて住むという光栄にも恵まれました。

もっとも印象に残っている旅のひとつは、ここにいらっしゃる莫言《モーイエン》▽さんと昨年高密を訪れた旅です。彼が幼少期と青年時代を過ごした高密で、小説『赤い高粱《コーリヤン》』のもととなったコーリヤン畑や、市が設立した莫言記念館を一緒に訪れることができました。けれどなによりも感銘を受けたのは、高密近郊にある生家を訪れたときです。その質素な家は、莫言夫妻が三十年前にそこを離れた頃のまま残されており、文化大革命の嵐が吹き荒れるなか、軍に在籍しながらあの部屋で初期の作品を執筆していた当時、ご夫妻がどれほど苦労したのかがしのばれました。土のままの床、むき出しの薄いレンガ壁、あの小さな家からはきびしい貧しさが伝わってきましたが、それと同時に希望も感じました。ご夫妻がどれだけ強い意志で新しい生活と文学的才能の開花を実現させたのか推し量ることができるからです。『赤い高粱』、『転生夢現』といった莫言さんの小説の言葉のひとつひとつが、いまではあの風景や小さな家と分かちがたく結びついて、さらに強くそして真に迫った意味を帯びています。

私が出会った中国文学をいくつも挙げてきましたが、新しい世代の作家である畢飛宇《ビーフエイユイ》を忘れることはできません。南京で何度かお会いしましたが、素晴らしい作品を書く作家です。『玉米』や『平原』といった作品で畢飛宇は中国社会の変貌を描くとともに、困難な時代を風刺しながら、既成概念にとらわれることなく、生き生きとした等身大の人物を生み出していきます。私は彼の少年時代の話をとても興味深く聞きました。文字を知ったとき、漢字にすっかり夢中になって、家の農園近くの地面にいくつも書いていたそうです。その話を聞いて私は、戦後間もないフランスで、使い古しの配給券と短くなった大工作業用の鉛筆しかないなか、たどたどしく自分の言葉を綴《つづ》っていたときの、書きたいという抑えようのない欲求を思い出しました。

この発表を終える前に、南京大学での出会いによって新たに発見した作家、より深く理解できるようになった作家に触れないわけにはいきません。一番の驚きは、英語圏では『The Book of Master Mo』の題で知られる墨子▽の選集を読んだことでした（イアン・ジョンストンの訳でペンギン・クラシックスから二〇一三年に出ています。フランス語では墨子に関して、アレクサンドラ・ダヴィッド＝ネールが著した『墨子と連帯の思想』という、一九〇七年にロンドンのLuzac & Coから出版された素晴らしいエッセイがあります）。

かつて道教や孔子の思想に近づいたこともあり、私は中国古典思想の大筋を知ろうと思っていました。そのなかで墨子の思想の深さと、人類の精神史における重要さを見出したのです。墨子は人間を探究するモラリストで、孔子や孟子よりも自然や民衆に近いところに位置し、数ある教えのなかでも特に、驚くほどの現代性を備えた「非楽」▼[52]を説きました。しかしそれだけにとどまりません。墨子は発明家でもあります。彼が考案した暗箱《カメラ・オブスクラ》は、二千年の時を経て写真や撮影カメラの発明へとつながりました。水に浮かぶ寺院が、扉の穴を通って薄暗い家の内部の壁に映し出されることに気づいた墨子は、光の屈折の法則をはじめて見出したのです。このことはやがて十一世紀の科学者イブン・ハイサム▼[53]を通じてアラブ世界にも知られるようになり、イタリアからヨーロッパへと伝わって、大きな画面の写実的な絵画作品――とりわけレオナルド・ダ・ヴィンチ▼54やカナレット▼55の絵画に見られるような――の制作を可能にしました。同じ原理にもとづいた機械で撮られたイメージであふれかえっている現代もまた、墨子の発見に多くを負っているのです。

暗箱《カメラ・オブスクラ》の発明がもたらしたものを考えてみましょう。おそらくこれは、人類史上でもっとも重要な発見のひとつです。これによって私たちの世界の見方は一変したのですから。この現実のとらえ方は、かの有名な「洞窟の比喩」で示されたプラトン▽の思想の対極にあります。私たちが生きているのは、洞窟の壁に映った揺れ動く影を通して想像するだけの、思弁で組み立てられた不可解な世界ではなく、目に見えるものすべてが明確に存在している現実のただなかなのです。中国語では、現実や真実を表す文字は「目」の部首を用いて書かれます。

真

目は現実を知覚するための道具に他ならないのです。

この発見の成果を受け継いでいる以上、私たちは中国文明が人間の理解力に与えた本質的な貢献と無縁ではいられません。これまでしばしば、中国においては宗教が重要性を持つことはなかった、と言われてきました。しかし、道教から仏教にいたるまでの宗教、そして呪術が中国の歴史のなかで果たしてきた役割を想い起こすならば、それはあまりに短絡的でしょう。

そもそも発明のほとんどは呪術的役割を担っていたことを思い出す必要があります。例えば羅針盤は中国で長いあいだ用いられてきましたが、それは航海のためではなく、墓所の方角を定める祭儀のためでした。ニエプス▼56やリュミエール兄弟▼57が発明した撮影機や写真機は、当初は亡霊の存在を目に見える形で証明するために使用されました――もちろん成功はしませんでしたが。

最後に、今年南京大学の学生と一緒に読む中国名詩選についてお話ししたいと思います。このアンソロジーには、漢の時代の班婕妤《はんしょうよ》▽が扇に託して悲しみを歌った「怨歌行」から、杜甫《ドゥーフー》▽、李白《リーバイ》▽、王維《ワンウェイ》▽らの唐詩、さらには現代詩まで収められています。中国の詩は考え方も表現の仕方もフランス詩とはまったく異なっているため、他の何物にも代えがたいことを教えてくれます。古典詩であれ現代詩であれ、中国の詩の多くは暗示や印象を重視し、明示や描写に向かうことはありません。それは想像力と結びついた詩的冒険で、それぞれの詩は読む人ごとに異なる解釈が可能であるように思えます。この点において中国文学は喚起力に富み、全世界的に理解されうるものでしょう。ただ、それを翻訳するのはやはりとても困難ですから、大学での研究によって、翻訳技術がさらに深まっていくことを願ってやみません。私はこの中国詩との出会いに大きな期待を寄せています。詩というのは中国でもっとも好まれる文学表現であり、時を越え、場所を問わず、中国の魂を内側から探求することを可能にしてくれるのですから。

（北京師範大学、莫言との対論、二〇一五年十月十九日）

文学とグローバル化

世界中の文学が奏でる大きな響きのなかで中国文学の位置について考える、というのが本日の主題ですが、正直なところ私はこのような問いが出されること自体に驚いています。というのも中国文学は、その始まりから現在にいたるまでつねに壮麗な金字塔としてそびえ立ち、人類共通の宝のひとつとなっているからです。私が言っているのは、無形遺産のような宝ではありません。そのような概念は、中国文学という明白で、その文化的影響力が全人類の目に明らかな存在に対しては当てはまらないのです。

たしかに西洋は――「西洋」というのはあまりに月並みで単純化した言葉ですが――この金字塔を長いあいだ知らずにいました。知らずにはいましたが、中国文学の影響はつねにあり、なくなることはけっしてありませんでした。古代中国に独特な思想を例に取りましょう。道教と儒教によって作り上げられたこの思想は、インドからペルシア、そしてアラブ世界にいたるまでの東洋世界のいたる地域で、詩あるいは小説を通して感じ取ることができます。これは、イランのゾロアスター教や仏教など特定の宗教がもたらす傾向とは関係ありません。ペルシア世界、アラブ世界を通じて多様な形式のもとに見られ、コンスタンティノープルやアンダルシアの貿易港を経由して中世のヨーロッパへと入ってきた諸々の支配的テーマ、つまり自然や愛、免れえない死のテーマのことです。

　中国文学においてこれらのテーマは、絵画表現（中国文学は書画一体です）や、それに関連した発見と結びついています。遠近法、消失線、それにタシスム▼58（印象派以前の惲寿平《うんじゅへい》▼59の絵画では、色彩には黒い輪郭線が描かれません）などです。唐代の詩を読むと、その「現代性」に、その「印象主義」に、そしてその象徴性に驚かされます。この詩は、文化の自然な伝播によって西洋の思想に入ってくると、西洋文学の方向性を大きく変えました。ペトラルカ▽の時代のイタリア叙情詩は、その独自性のかなりの部分をトルバドゥール▼60の詩と、それ以前ではオマル・ハイヤーム▽によるペルシアの詩に負っています。このペルシアの詩と、同時代の宋やその前の時代、文学の全盛期である唐の詩のあいだに直接的なつながりがあると言うのは、もしかすると無謀かもしれません。けれども、絹の取り引きを介してさまざまな影響がもたらされた可能性や、楽器の伝播を考えると、この魅力的な仮説も許されるのではないでしょうか。それに民話の広がりも忘れてはなりません。シンデレラとガラスの靴の話、イソップ寓話のいくつか、アーサー王物語群における不死鳥《フェニックス》や龍《ドラゴン》の伝説など、ヨーロッパには明らかに中国起源の話があるのです。

ヨーロッパの目に中国文学が見えていない状態は、近代に入り翻訳が出版されるようになるまでつづきました。十九世紀から二十世紀にかけて、中国文学という金字塔が西洋の識者によって「発見」されましたが、これは従来の価値観を覆す大きな出来事でした。それまで中国は商業的繁栄や軍事力、複雑な社会機構で知られていました。しかし孔子▽、孟子▽、荘子▽といった思想家の翻訳や、ナポレオン・ボナパルト、後にはビスマルクが愛読したと言われる孫子▽の兵法書によって、普遍的文化の重要な源のひとつであることが明らかになったのです。

中国古典の詩人、次いで曹雪芹《ツアオシュエチン》▽や呉承恩《ウーチョンエン》▽といった小説家の作品が翻訳されるにおよんで、中国文学は世界文学の展望のなかに確固たる位置を占めるようになりました。ただ、文学作品がヨーロッパ言語に訳されたのは遅く▼61（フランスやイギリスの作品の中国語訳が出たのが十九世紀末と遅かったからです）、その翻訳も往々にして異国趣味で歪《ゆが》められていました。それでもこれらの翻訳は人々の関心を呼び起こし、ヴィクトル・セガレン▽やポール・クローデル▽をはじめ、数多くのフランスの詩人や文学者に影響を与えました。

中国語の研究や、重要な文学作品の解釈・註解によって、中国文学という金字塔は誰の目にも明らかになっただけでなく、人類の歴史のなかで欠かすことのできないもののひとつになりました。それが果たす役割の重要さは、今日の世界――文化間のコミュニケーションと交流が平和のための優れた手段となっているこの新しい世界においても同じです。

重要な点はまさにここにあります。グローバル化というのは長きにわたって、西からきた征服国家（ヨーロッパ、アメリカ、そしてある意味「極東」というより「極西」とも言える明治以降の日本）による世界の植民地化が、新たに別の形を取っただけのものでした。植民地帝国主義も、ポストコロニアル時代の帝国主義も、そして一九三〇年代のナショナリズムが喧伝した人種主義的かつ自民族中心的な主張も、限られた少数の言語と文化による世界の支配を助長してきました。文明は、したがって文学は、ごく一握りの国――自分たちの生活様式や美の基準を支配下の国々に押しつけようとする国のものでした。この時代を総括して肯定的にとらえるか否定的にとらえるかを議論しても無意味です（ただ、支配戦争によって中国やヨーロッパで犠牲となった死者の数を考えれば、それが惨憺たる時代であったことを否定するのは難しいでしょう）。いまするべきは、この両義的な遺産を乗り越え、未来の世代のために、そこから希望や光を引き出すことです。世界中の文学が奏でる大きな響きのなかで、中国文学がふたたびその声を聞かせてくれるのは、人間を理解するうえでなによりも大切な要素です。それは中国文学の古典を知るという意味においてだけではなく、中国文学の新世代の作家や詩人がこれからの時代に果たす役割という意味においてもです。もしかするとこの新たな中国文学は、過去の中国文学のイメージとは一致しないかもしれませんし、現代の読者の目には中国がその異質性や独自性を――燦然《さんぜん》たる異国情緒を――手放すように映るかもしれません。老舎《ラオシャー》▽や魯迅《ルーシュン》▽といった小説家は、ディケンズ▽やサッカレー▽の影響を受けて、同時代の中国のリアリズムを作り上げました。莫言《モーイエン》▽は、フアン・ルルフォ▽やガブリエル・ガルシア・マルケス▽といったラテンアメリカの大小説家の「マジック・リアリズム」とも比べられる叙情的リアリズムを、その作品全体で生み出しています。今後は中国の作家たちが、世界の他の地域の作家に影響を与えることになるでしょう。そして中国文学は、思想潮流や美的概念の進展という、国境に囚われることのない運動に参加するのです。この揺らぎと柔軟性のなかでこそ、文化は理解と世界平和のために力を尽くすことができるのだと私は固く信じています。

ご静聴ありがとうございました。

（文学に関する博雅《ボヤ》フォーラム、北京大学、二〇一五年十月二十六日）

文学と人生

武漢でお話しするにあたり、南京大学の同僚である許鈞《シュジュン》先生から示されたこの「文学と人生」というテーマは、数え年で七十六歳になり、人生行路の終わりがすぐそこに迫っていることを本能的に察する年齢を迎えた私には、ひじょうに特別な意味を持っています。それは、人生の終わりを感じて憂鬱に包まれるからでもなければ、若かりし日々に郷愁のようなものを抱くからでもありません。矛盾しているようですが、これまでに過ぎ去った長い時間のなかで数え切れないほどのページを書いてきたにもかかわらず、私のなかでは文学に対する信頼がつねに変わることなく保たれています。私にとって文学は到達点というよりは開かれた扉、踏破した道というよりは永遠の旅路のようなものなのです。イギリスの作家オスカー・ワイルド▽は、同時代人への辛辣な皮肉に抜群の冴えを見せましたが、いつまでも若々しい精神でいる秘訣を訊ねられると決まってこう答えました。「若いままでいるなんて簡単なことで、同じ過ちを繰り返せばいいのです▼62」

ある意味で文学とは、無知と曖昧さが形をとったものです。世界の文学の歴史を見れば、文学がなんらかの悪に対する解決になったことも、私たちを生存の危機から救ってくれたことも一度もない、とわかります。けれどもそのような状況に陥るたびに文学は、正義のために戦う人々、より良い生への希望のために戦う人々の強力な武器となりました。矛盾や欠点も含んだ文学のこの人間らしい部分によって、私たちは説得させられたり、未来へ目を向けたりするのです。今日でも心動かされるテクストとは、たとえそれが別の時代、別の場所で書かれたものであっても、私たちのなかにある、論理や現実とは無縁の部分に働きかけてくるテクストです。

有名な小説や叙事詩に登場する人物は、模範的人間などではありません。古代ギリシアの英雄オデュッセウスは、必要とあらば狡猾で残酷な嘘吐《うそつ》きにもなり、世界をかけめぐる快楽のためだけに家庭の安寧を捨てて、妻を不幸に突き落とします。ケルト武勲詩の英雄トリスタンは、誓いをいとも簡単に破り、魔術に身をゆだねて、伯父であるコーンウォールのマルク王からイゾルデを奪います。アーサー王物語では騎士の誉《ほま》れと称賛されるランスロットも、似たり寄ったりです。夜闇にまぎれてアーサー王の王妃グィネヴィアの寝室に忍び込み、姦通と主君への背信という二重の裏切りを犯すのですから。その後、自分が誘惑した相手と別れることを選ぶのも、美徳のためというよりむしろ、自らの心の平安のためでしかありません。他に類がないほど道徳に凝《こ》り固まった小説——フランス文学では十七世紀にラ・ファイエット夫人▽によって書かれた『クレーヴの奥方』でしょう——であっても、教訓はやはり曖昧です。クレーヴの奥方はヌムール公の愛を拒《こば》みますが、それは宗教的信念からだけではありません。フランスの十六世紀の貴族階級では、女性は自らの幸福を犠牲にしてまで与えられた役割を果たさなければ、社会的地位を失うことになったからです。この奥方は、永遠の生に希望を託したのではなく、自分の階級特権のための代価を払ったにすぎません。逆に曹雪芹《ツァオシュエチン》▽の『紅楼夢』は、中国の民衆にとっては異星人と同じくらい無縁な貴族階級を動かしている情念や禁忌を白日のもとにさらけだすことによって、体制そのものの見直しを迫る小説です。

　このような昔の作品から連綿と、文学は公のモラルと真っ向から対立はしないまでも、その外側に位置しつづけています。若い読者の見習うべき手本を、ドストエフスキー▽やフロベール▽、サッカレー▽、あるいはコレット▽といったあまり感心できない作品のなかから探そうとするのは意味がないどころか、ほとんど滑稽と言っていいでしょう。現代文学にいたっては、もっぱら国民的英雄を失墜させて代わりに稀代の破廉恥漢ばかり並べるのを得意としてきました。サルトル▽の『嘔吐』の主人公ロカンタンのなかに、あるいはカミュ▽の『異邦人』に出てくる人種差別主義の殺人者ムルソーのなかに模範的人間を探してもむなしいだけです。ベケット▽も、大江健三郎▽も、フィリップ・ロス▽も、莫言《モーイエン》▽も、無頼漢や人でなしの見事な類型を創造しました。それらはいずれも、文学史上もっとも偉大な小説であり、世界の文学の規範でもあるミゲル・デ・セルバンテス▽の『ドン・キホーテ』に出てきてもおかしくない登場人物です。

以前フランスのある週刊紙のアンケートで「あなたはなぜ書くのか？」というのがありました。▼63 かつてシュルレアリストがおこなった有名なアンケートをもとにしたこの問いに、多くの作家がそれぞれ筋の通った、そして面白い回答を寄せました。「それしかできないから」というサミュエル・ベケットの簡潔そのものの回答を記憶にとどめている方もいるかもしれません。私が好きなのは、『寒夜』を書いた中国の作家巴金《パージン》▽の「美しい人生はあまりに短すぎるから」というものです。▼64 追求する目標がどのようなものであっても、作家——小説家、詩人、演劇人と言ってもいいですが——のなかには、たしかにこのような哀惜が、流れ去り二度と戻ってこない時を前に感じる鈍い痛みのようなものがあります。これはノスタルジーではありません。ノスタルジーと呼ばれる、追憶と反芻《はんすう》に根ざしたもの悲しい気持ちは、文学とは無縁です。一見するとノスタルジーの自己満足にもっとも近いように思える作家でさえ、実際にはそこからはるかに遠いところにいるのです。プルースト▽も老舎《ラオシャー》▽も、そしてブロンテ姉妹▽でさえも、この病に毒されてはいません。彼らが書くものは、狭い意味での記憶とは無関係です。読者の目にどのように映ろうとも、現在について、自らの現在について書いているのであり、個人的な思い出と、これまでに読んだ文学作品からの影響と、未来への投企とが渾然一体となった再創造なのです。この渾然一体こそ、まさに現在の感覚そのものにほかならないでしょう。「美しい人生はあまりに短すぎる」のです。作家の仕事は、書くことの幸福は、人生になんらかの実質を付与したいという欲求と結びついています。それは、この短すぎる人生を永続させるためではなく、物質性を与えて虚無から救い出すためです。

生きるために書く。書くという営みは人生に根ざしています。書くことで明るみに引き出されるものは、その人の奥深くでたえず動いている存在と結びついています。アメリカの偉大な小説家のひとりフラナリー・オコナーは、書く営みと自分自身の人生とが密接に結びついていることを、はっきりと認めていました。彼女はこう言っていなかったでしょうか？　人が感じることのすべて、理解することのすべては、意識を発見する六、七歳から、大人の入口にさしかかる十五歳頃までの時代に由来する、と。すべて、というのは、世界の美しさ、他者への愛、共有感だけでなく、憎しみ、不正、口に出せない欲望、犯罪衝動といったものも含まれます。フラナリー・オコナーは、人生のこの短い期間の経験を糧《かて》にして、情熱と戦慄にあふれる複雑で想像力豊かな作品を生み出しました。彼女は若くして難病のため寝たきりになり、人生については結局、自ら作品のなかで想像したこと以外は知らなかったでしょう。それだけにいっそう驚くべきことです。

もちろんフラナリー・オコナーは極端な例です。大多数の人間は、書くことを決意した時点ですでにさまざまな人生経験を積んでいます。ジョセフ・コンラッドや『西遊記』の呉承恩《ウーチョンエン》のように波瀾万丈な生涯を送ってきた人もいれば、別の職業で生計を立てていた人もいます。フランス・ルネサンスに名を残す女性詩人クリスティーヌ・ド・ピザンは、父親と同じく占星学と医学をおこなっていました。『エプタメロン』の作者マルグリット・ド・ナヴァルは、小説家になる前はナヴァル王国の王妃でした。もっとも意外なのはコレットです。『青い麦』や『ジジ』を書いたコレットは、文学に専念する前はパリのバタクラン劇場でヌード・ダンサーをしていました。

しかしこれらの例は、人生とは独立して存在する文学の深い独創性をいささかも否定するものではありません。文学は人生と密接な関係があり、ときには交わることもありますが、つねに自律していて、言ってみれば別の人生に、仮想の世界に属しているのです。

とはいうものの、生活と文学の結びつきは現実に存在しています。この結びつきがなければ、書物が私たちに及ぼす深い影響をどのように理解すればいいでしょうか？ 文学は人類の営みと歩みをともにし、そのさまざまな冒険や発見に寄り添っています。もし叙事詩的な物語がなければ、民族の大征服や存亡をかけた戦い、歴史のなかに見出《みいだ》される誇りのうち、いったいなにが残っているというのでしょうか。ときに作り話で、たいていは誇張された表現、そしてつねに胸躍るこの物語がなければ、歴史それ自体も存在していないでしょう。歴史の素材は記憶ではなく、むしろ呪文——言葉、イメージ、リズムによって引き起こされる集団的幻惑のようなものです。

シェークスピア▽が舞台に登場させるのは、古代ローマの英雄コリオラヌス、ユリウス・カエサル、スコットランド王マクベス、デンマーク王子ハムレットといった歴史上の大人物と、その恋愛や裏切り、ときにはその失墜ですが、シェークスピアは自らの作品をイギリスの人々全体に向けて、そしてさらには同じように圧政の支配を受け、思いもよらない歴史の気まぐれに翻弄される地球上のあらゆる人々に向けて書いているのです。人生を媒介として人々は伝説的な人物と結びつきます。伝説的な人物は理解可能な親しい存在になります。けれども現代はもう叙事詩や悲劇の時代ではありません。いまでは文学は伝説の反響であることをやめてしまいました。人々に恐怖や感嘆の念を引き起こすことができる、神話とほとんど区別のつかない漠然とした噂であることをやめてしまいました。現代は反英雄《アンチ・ヒーロー》の、私たちと同じく大した重要性を持たない登場人物の、私たちの似姿である滑稽で取るに足らない人間の時代です。文学は次から次へと新たなオデュッセウス、新たなロラン、新たなシビュラ、新たなアンドロマックを作り出しています。この新たな登場人物たちは、そのモデルと大きく異なっているでしょうか？　彼らもまた策を弄し、欺《あざむ》きます。誘惑し、勝利を収めます。身を滅ぼし、地に倒れることもあります。私たちを笑わせもします。だからこそ私たちの心を揺さぶるのです。

私ははじめて現代の作品を読んだときのことを覚えています。思春期の頃は、作者が誰かなど気にせず、近所の図書館で手当たり次第小説を借りていたのですが、そこでたまたま読んだのです。ノルウェー語から訳されたそれほど長くない小説で、書いたのはヨハン・ボイエル▽という知らない作家、タイトルは『カメレオン』。ごく普通の男が、自らの気の弱さと逆境とに追い詰められて変身し、周囲の世界に紛れ込んでしまうという話でした。その頃の私は、子供の世界から抜け出そうとしている時期でした。子供の世界にいるあいだは小説のなかで、並外れた策謀家や大胆で野心的な女性といった、デュマ▽やスタンダール▽やバルザック▽の作品に出てくるような、世界を掌中に収めるためならどんなことでもしかねない登場人物に惹《ひ》かれるものです。しかしボイエルの『カメレオン』を読むことで、私ははじめて人生を正しい尺度で見ることができました。人生というのは、全体として見ればむしろ平凡で退屈、陳腐きわまりない日常で占められているけれど、まさにこの平凡を極めることで陳腐さを免れるのだ、と教えられたのです。これほどの衝撃を受けた本は、ほかにはないと思います。この本がきっかけとなって、私はサルトルからキングズリー・エイミス▽、マラパルテ▽、フランツ・カフカ▽、そしてべケット▽へと、現実をありのままに描く小説との出会いへ導かれていきました。
私たちの時代の成果のひとつは、エリート主義的な宮廷文学の虚偽と戦ったことでしょう。この戦いにおける文学上の大英雄が、憂《うれ》い顔の騎士ドン・キホーテであることに異論の余地はありません。風車を巨人と思い込み、従士サンチョ・パンサとともに戦いを挑むこの英雄は、別の時代の人間ではありますが、騎士道の誤謬の数々に対する戦いを象徴しているために、私たちの心をとらえます。セルバンテスは、冒険者や兵士としてあらゆる戦いをくぐり抜けたのちチュニスの王に奴隷として売られますが、その後作家となって、宮廷文学の虚偽に対する激しい戦いを推し進めます。こうして文学のおかげで真実が虚偽に勝利するのです。ただそのためには、時代に応じて調整をおこなうことを忘れないようにしなければなりません。文学の役割のひとつは、世代が変わるたびに、現実の生活にもっとも近いもの――そして同時に、体制への奉仕とは無縁のものを浮き彫りにし、一時的な流行や政治の独断的命令が押しつけてくるものの化けの皮をはぐことなのです。

書くこと、生きること。ここまで私がお話ししてきたのは読書に関してでした。これは慎みからではなく、作家はなによりもまず読者であると思うからです。私自身の人生と、書くことへの自分の嗜好とを結びつけるものを考えると、まず読書が思い浮かびます。自分が書くものは、以前読んで気に入った作品の延長、あるいは変奏でしかないのですから。私には、自分が実際に抱いた感情と、読書から受けた印象とを切り離すのがとても難しい気がします。自意識について考えるときまず頭に浮かぶのは、ジャック・ロンドンの『白い牙』で読んだ、寒さで動けなくなり身体が凍えていくなか、自らの震える指をじっと見つめている狩人の姿です。愛について考えるときは、シェークスピア劇のなかの、ロミオと引き離されたジュリエットの嘆きを思い出します。これは引用癖があるからではなく――引用癖というのは碩学《せきがく》の徒も教養のない人も罹《かか》る不治の病です――、文学は望むと望まざるとにかかわらず、ときとして私たち自身の記憶に取って代わるからです。

書物も文章も単語も、私たちとともに成長していきます。人生の層が積み重なっていくにつれて進化し、意味や色合いを変えていきます。言語というのは、たえざる生成のうちに生きる私たちの存在の一部なのです。私はフラナリー・オコナーと同じように、自分が書くもののほとんどは人生の初期に結びついている、自分の記憶の主要な部分は二十歳になる前に作られたと思っています。しかし自分の幼年時代、あるいは波乱の時代――例えばアルジェリア戦争、性と結びついたさまざまな発見、一九六〇年代初頭の青年期にロンドンという敵意に満ちているると同時に陶酔をもたらす大都会で過ごした経験などがあった時代――を思い返すと、自分がこの底なしの深みをいまだ汲み尽くしてはおらず、それを明るみに出そうと試みるたびに異なる結果がもたらされる、と気づかざるをえません。私がその深みに探し求め、そしてときに見出すのは、事実の正確な目録などではなく、人生の感覚です。ある日の空の色、出来事の時系列、そんなものがなにになるでしょう。歴史的事実がなにになるでしょう。どのような機器も、どのような感光板も、どのような録音も、現実を復元してくれることはありません。これまでに出会った無数の顔、言葉、匂いといった、この人生を構成するさまざまな要素は、私の内奥の信じられないほど深く複雑な貯水池に沈殿していて、ただ書くことによってのみ、その揺さぶりやほとんど魔術的な力によってのみ、ふたたび出現させることができるのです。書くという欲求にはそれ以外の理由はありません。

たしかに私はこれまでいろいろな旅をしてきました。旅というのは現代の贅沢です。百年前は事情はもっと複雑でした。今日のように国境は存在していませんでしたし、ワクチン接種証明や銀行の預金明細を提示する必要もありませんでしたが、内面化された国境はいまよりもはるかに乗り越えがたいものでした。ヴェルレーヌ▽が「風の靴を履いた男」と呼んだアルチュール・ランボー▽は、自らの詩によって驚異的なまでに新しい国々を想像したあと、現実の世界を見ることを決意し、アビシニアのしがない商会で武器や象牙の密輸入に従事しました。私は数多く旅してきましたが、その旅が作品を書く助けになったことはありません。むしろその逆です。海についてもっともよく書くことができるのは、アメリカ・ニューメキシコ州で海から二千キロも離れた砂漠で暮らしているときです。すぐ目の前が壁になっている窓から差し込む光のもとで机に座っていると、韓国沖に浮かぶ済州島のアワビ取りの海女《あま》が潜る海の底を想像することができます。『調書』を書いたのはニースのカフェの奥の席、『アフリカの人』はフランス国立図書館の窓ひとつない小部屋でした。壁に押しつぶされそうなこの束縛のなかでこそ、私は自分の生でもっとも生命力にあふれた部分——地底に潜んだマグマが地表に硫気孔《りゅうきこう》を生み出すように、深いところでうごめく語や文章が生み出す部分——を最大限に引き出すことができるのではないか、そんな気がすることもあります。

文学創造はときに行動の対極にあるものとされます。一方が熟慮を重ね、緩慢で慎重さのなかでおこなわれるとすれば、もう一方は社会の変革——良い方へか悪い方へかわかりませんが——を目指して、人生としっかり結びついている、というのです。おそらく現代に関しては真実を突いているでしょう。知識階級というのは、特にヨーロッパにおいて顕著なのですが、政治権力の外側に位置し、その安寧の維持には消極的な特権者集団として組織されてきました。ファシズムの到来を前にしたイタリアの哲学者グラムシ▽によるこの醒《さ》めた認識は、いまでもその有効性を失っていません。ただ、作家の戦いは今日では以前ほどわかりやすいものではないでしょう。作家が権力に逆らうのは、まずは個人的自由の名のもとであり、自らの真実と内面の平安を実現するためです。かつての壮大な社会参加《アンガージュマン》の時代から比べると、人々の意識が変わったのかもしれません。思い返してみると、あの頃の社会参加はときとして――サルトル▽やエフトゥシエンコ▽の場合のように――壮大な間違いにもなったのですから。

書く営みが私にもたらすのは、なによりもまず個人的な満足です。文学は生きる助けとなります。生きているという感覚を与えてくれます。この利己的な幸福から、作家の人間的資質のすべてが滲み出すのであり、実際の行動によってではありません。作家に預言者の役割があると思うのはあまりに傲慢でしょうし、そもそも作家の預言などというのはどこまでも疑わしいものでしょう。私はただ、言葉を通して存在の密度を感じ取ります。文学というのは誰かと分かち合うものだからです。言語の持つ人間性は普遍的なものです。どこに暮らしていても、日々の生活や定められた運命がどのようなものであろうとも、読者は文学のなかに自分と他者をよく知るための方法を、つまり自らを人類という大きな家族に結びつける絆を感じ取る方法を見出すのです。

（武漢での講演会、二〇一五年十一月十四日）

『ル・クレジオ、文学と書物への愛を語る』（作品社）附録

人名小事典

鈴木雅生 作成

https://www.sakuhinsha.com

【あ】

アチェベ（チヌア） Chinua Achebe（1930-2013）ナイジェリアの小説家、詩人。イボ族出身。放送局勤務のかたわら、英語で小説を執筆。主著『崩れゆく絆』（1958）では、イギリスの植民地支配とキリスト教布教の前に、イボの伝統社会が崩壊する悲劇を描いた。その後も長編、短編集などを立て続けに発表、「アフリカ文学の父」と称される。

アルゲダス（ホセ・マリア） José María Arguedas（1911-1969）ペルーの小説家。父親がインディオの権利を擁護する弁護士であったため、長い間アンデスのインディオたちのなかで暮らし、彼らの言語であるケチュア語、そして音楽や習慣を体得。インディオの言語や視点を小説に反映させてインディヘニスモ（原住民主義）文学の新しい地平を開いたほか、フォークロアの採集にも努め、民族学・文化人類学の分野でも足跡を残した。代表作に『深い河』（1958）など。

アルトー（アントナン） Antonin Artaud（1896-1948）フランスの詩人、演劇理論家、演出家、俳優。シュルレアリスム運動に加わったのち、1927年に「ジャリ劇場」を創立して演劇の改革を叫ぶ。また『裁かるるジャンヌ』（1928）などの映画に出演しながら、「残酷演劇」の構想を固め、1935年に自作の『チェンチ一族』を演出、主演し、その実現を図る。1936年に文化の原点を求めてメキシコの先住民タラウマラを訪れるが、翌1937年アイルランド旅行中に錯乱状態となり、以後は精神科病院内で膨大な著作を残した。ル・クレジオは『メキシコの夢』所収「アントナン・アルトー、メキシコの夢」で彼のメキシコでの経験について語っている。

【う】

呉承恩 ウー・チョンエン／ご・しょうおん（1504頃-1582）中国、明末の文学者。貧しい文人階級の出だが、幼い頃から文名高く、若くして秀才に合格する。しかしそれ以降、科挙の試験にことごとく失敗し、ほとんど売文で生計を立て、貧困と不遇のうちに生涯を終えた。『西遊記』の作者とされる。

ウアト（ルイ・ティマジェーヌ） Louis Timagène Houat（1809-1883）レユニオン島出身の作家、医者。1844年に出版された『逃亡奴隷たち』はレユニオン文学の嚆矢とされる。

ヴァレリー（ポール） Paul Valéry（1847-1945）フランスの詩人、批評家、思想家。厳密な知性の操作による人間の可能性を『レオナルド・ダ・ビンチの方法への序説』（1895）、『テスト氏との一夜』（1896）などで追求した。また、象徴主義の後継者として長詩『若きパルク』（1917）や詩集『魅惑』（1922）を発表、評論集『バリエテ』（全5巻、1924-44）などすぐれた業績を残す。

ヴィヨン（フランソワ） François Villon（1431頃-1463頃）フランスの詩人。犯罪、放浪、入獄を繰り返す生涯を送り、悔恨、嘲笑、憤怒、祈願などがこめられた叙情詩を残す。中世最大の詩人とされる。作品集として『形見の歌』（1456年）、『遺言詩集』（1461年）など。

ウェルギリウス Publius Vergilius Maro（BC70-19）古代ローマの詩人。ローマ文学の黄金時代を代表する。『詩選』（10編、BC42-37）、『農耕詩』（全4巻、BC30）を発表、残りの生涯を英雄叙事詩『アエネイス』にかけるが作品は未完に終わった。

ウェルズ（ハーバート・ジョージ） Herbert George Wells（1866-1946）イギリスの小説家、批評家。『タイムマシン』（1895）、『透明人間』（1897）、『宇宙戦争』（1898）などSF小説の祖として有名。進化論・社会主義の観点に基づく社会小説、文明批評を発表。人類の歴史を百科学的知見に基づき総括した『世界文化史大系』（1920）は多くの読者を得た。

ヴェルレーヌ（ポール） Paul Verlaine（1844-1896）フランスの詩人。音楽性豊かな詩法を確立した。妻と別れ、少年詩人ランボーと2人でイギリス・ベルギーを放浪したが、のち彼を拳銃で負傷させて2年間入獄する。その後も飲酒、放浪と私生活は乱れたが、すぐれた叙情詩を残した。代表的な詩集に『艶なる宴』（1869）、『言葉なき恋歌』（1874）など。

ヴォルテール Voltaire（1694-1778）フランスの小説家、劇作家、思想家。詩、演劇、小説、批評、歴史、科学と多方面に及ぶ著述活動のほかに、理性と自由を掲げて専制政治と教会を批判、狂信や不正裁判と激しく闘った。代表作に小説『カンディード』（1759）、エッセー『寛容論』（1763）、論文集『哲学辞典』（1764）など。18世紀の代表的啓蒙思想家であり、百科全書派の旗手の一人。

【え】

エイミス（キングズリー） Kingsley Amis（1922-1995）イギリスの小説家。詩人として出発したが、イギリス社会の既成の秩序や風習を風刺した小説『ラッキー・ジム』（1954）で一躍有名になり、伝統的なイギリス社会への幻滅を特徴とする「怒れる若者たち」と呼ばれる若い作家の代表格となった。

エウリピデス Euripides（BC484頃-407頃）アイスキロス、ソフォクレスと並ぶ古代ギリシア三大悲劇詩人の一人。神話伝説に人間的写実性を取り入れ、新しい傾向の悲劇を生んだ。作品に『メディア』、『トロイアの女』、『バッコスの信女たち』など。

エフトゥシェンコ（エヴゲーニー） Evgueni Evtouchenko（1933-2017）ロシア（ソ連）の詩人。スターリン死後の「雪どけ」世代の旗手として活躍、反権威に根ざした赤裸な心情告白で青年層の圧倒的支持を得た。1963年にフランスで発表した『早すぎる自叙伝』はソ連共産党から激しい非難を浴びた。

エマーソン（ラルフ・ウォルド） Ralph Waldo Emerson（1803-1882）アメリカの思想家、教育家、詩人。父親を継いで牧師となったが、教会の形式主義に疑問を感じて辞任。ヨーロッパ旅行後はボストン北西のコンコード村で思索の生活を送る。神性を宿す自然の一部としての人間は、自然に従って生きるべきであるとする超越主義の代表者で、初期アメリカ哲学の確立者。代表作に『自然論』（1836）など。

【お】

王維 おう・い→ワン・ウェイ

大江健三郎 おおえ・けんざぶろう（1935-）日本の小説家。東大在学中に「飼育」で芥川賞受賞。新しい文学の旗手として認められる。豊かな想像力と独特の文体による、現代に深く根ざした作品を発表。1994年ノーベル文学賞受賞。2009年11月、ノーベル賞受賞者を囲むフォーラム「21世紀の創造」でル・クレジオと対談をおこなっている。

オコナー（フラナリー） Flannery O'Connor（1925-1964）アメリカの女性小説家。南部を舞台に暴力と流血の物語や南部婦人の上品主義を風刺した作品を書く。長編小説『賢い血』(1952)、『烈《はげ》しく攻むる者はこれを奪う』(1960) のほかに、短編小説の名手としても知られる。

オバルディア(ルネ・ド) René de Obaldia (1918-) フランスの劇作家、詩人、小説家。フランス人を母, パナマ人を父として香港に生まれ, パリで高等教育を受ける。シュルレアリスムから出発し, のちに風刺と諧謔《かいぎゃく》に満ちた独自の作品で第二次世界大戦後のフランス演劇界に名をなす。アカデミー・フランセーズ会員。

オマル・ハイヤーム Omar Khayyám (1048-1131) イランの学者、詩人。数学・天文学に通じた学者としてセルジューク朝のスルタンに登用された。多くの科学書をアラビア語で著して、中世科学史上に「オマル・ハイヤームの時代」を築き、偉大な足跡を残した。学者としての活動のかたわら、無常観が言葉の端々にあらわれるペルシア語の四行詩を数多く残し、詩人としても高い評価を得ていた。その詩集は『ルバイヤート』として故地イランのみならず、各国語に翻訳され広く知られている。

【か】

郭璞 かく・はく→グオ・プー

カゾット(ジャック) Jacques Cazotte (1719-1792) フランスの小説家。代表作『悪魔の恋』(1772) によりフランス幻想文学の先駆者とされる。フランス革命に際しては反革命の立場をとり処刑された。

カフカ(フランツ) Franz Kafka (1883-1924) プラハ生まれの小説家。ドイツ語で作品を書いた。実存主義文学の先駆者。人間存在の不条理を、異常な事件に絡ませて写実的文体で描く。代表作に『変身』(1915)、『審判』(1925)、『城』(1926) など。

カミュ(アルベール) Albert Camus (1913-1960) フランスの小説家、劇作家、評論家。アルジェリアに生まれる。第二次大戦中、対独抵抗運動に参加。不条理とそれに反抗する人間を描く。代表作に小説『異邦人』(1942)、『ペスト』(1947)、戯曲『カリギュラ』(1945)、評論『反抗的人間』(1951) など。1957年ノーベル文学賞受賞。

ガルシア・マルケス(ガブリエル) Gabriel García Márquez (1928-2014) コロンビアの小説家。架空の町マコンドを舞台に、一族の100年にわたる年代記のかたちを借りて、征服、植民、独立そして激動する現在というラテンアメリカの歴史を描いた『百年の孤独』（1967）で注目され、ラテンアメリカ現代小説の代表的存在となった。幻想と現実、虚実が入り混じった独特の作風は、「マジック・リアリズム」と呼ばれる。1982年ノーベル文学賞受賞。

ガルシラーソ・デ・ラ・ベガ（インカ） Inca Garcilaso de la Vega（1539-1616）ペルーの歴史家。スペイン人征服者とインカ王女との間に生まれ、ペルーで成長した。1560年頃スペインに赴《おもむ》き、はじめ軍人となったが、のち文筆活動に入り、ペルー征服およびインカの生活、物語などを主題とした年代記『インカ皇統記』を著した。

ガレアーノ（エドゥアルド） Eduardo Galeano（1940-2015）ウルグアイの小説家、ジャーナリスト。代表作にラテンアメリカの歴史を敗者の視点から論じた評論『収奪された大地、ラテンアメリカ五百年』（1971）、小説『炎の記憶』三部作（1982、1984、1986）など。

【き】

キプリング（ラドヤード） Joseph Rudyard Kipling（1865-1936）イギリスの小説家、詩人。ムンバイに生まれ、イギリス本国で教育を受ける。在インドの軍隊や土地の物語、密林や海洋を題材とした勇壮な小説や詩を発表して名声を得た。オオカミに育てられる少年や動物を主人公にした『ジャングル・ブック』（1894）、ラマ僧とインドを旅する少年探偵を描いた『キム』（1901）などは、少年読物として世界的に名を知られている。1907年ノーベル文学賞受賞。

ギヨタ（ピエール） Pierre Guyotat（1940-2020）フランスの小説家。アルジェリア戦争に動員されるが、反抗兵として投獄され、懲罰部隊へ入れられる。1967年に自らの戦争体験を綴《つづ》った小説『五十万人の兵士の墓』を刊行し注目を集める。他に『エデン、エデン、エデン』（1970）、『売春』（1976）など。

【く】

郭璞 グオ・プー／かく・はく（276-324）中国、東晋の学者、文人。若くして博学であり、古文字や訓詁の学に造詣が深く、『爾雅《じが》』、『方言』、『穆天子伝《ぼくてんしでん》』、『山海経《せんがいきょう》』などに註を施した。

グージュ（オランプ・ド） Olympe de Gouges（1748-1793）フランスの劇作家、女優。フランス革命期にパリで活躍したフェミニズム運動の世界的な先駆者。1789年公布の「人権宣言」が女性を無視していることに対抗して、1791年に17条からなる「女権宣言」を発表し、男性と同じ基本的人権・市民的権利・義務を要求したが、1793年に反革命の容疑で逮捕・処刑された。

クノー（レーモン） Raymond Queneau（1903-1976）フランスの小説家、詩人。シュルレアリストとして出発したが、のちにこの運動から離脱、種々の職業を経て最初に発表した小説『はまむぎ』（1933）によって日常言語を書き言葉のうちに導入するとともに、数学的な世界観に支えられた独自の文学作法を確立する。以後、小説『わが友ピエロ』（1942）、『地下鉄のザジ』（1959）、一つの些細な出来事を99通りの文体で書き分けた『文体練習』（1947）などの作品を発表した。

グラック（ジュリアン） Julien Gracq（1910-2007）フランスの詩人、小説家。高校の地理学教師の職のかたわら、シュルレアリスムの影響を受けて創作をつづける。処女作『アルゴールの城にて』（1938）でブルトンに評価されたあと、『陰鬱な美青年』（1945）、『シルトの岸辺』（1951）をはじめ、文壇や流行から超然とした、夢と幻想に満ちた独自の作品を発表する。

グラムシ（アントニオ） Antonio Gramsci（1891-1937）イタリアの革命家、思想家。イタリア共産党の創立に参加。1926年ファシスト政府に捕らえられ、10年に及ぶ獄中生活の間に著した膨大な『獄中ノート』で独創的なマルクス主義理論を展開した。一階級、一集団の文化面での支配がもろもろの支配機構の基盤となるとする「文化ヘゲモニー」や「階級芸術」の考え方で知られる。

グリッサン（エドゥアール） Édouard Glissant（1928-2011）フランス海外県マルティニクの詩人、小説家。高等中学校でエメ・セゼールの教えを受けた。ポストコロニアルの地球社会の到来に対し、民族・言語・文化の混淆による新たなアイデンティティー形成を説いた「クレオール化」をスローガンに、カリブ海に根ざす「アンティル性」を主張。詩集に『黒い塩』（1960）、小説に『レザルド川』（1958）、評論に『アンティル論』（1981）、『関係性の詩学』（1990）などがある。

クリスティーヌ・ド・ピザン Christine de Pisan（1364頃-1431）イタリア生まれのフランスの女性詩人。優雅なバラードを多く作る一方、『薔薇物語』に代表される当時の女性蔑視の風潮に抗して女性擁護の論陣を張った。散文の『婦女の都』(1404)では、徳と知性と勇気のある女性たちだけの理想郷を描いた。

グロジャン（ジャン） Jean Grosjean (1912-2006) フランスの詩人。リセ卒業後、1950年までカトリックの聖職に就いた。アラビア語やヘブライ語にも精通し、作品の中に聖書のスタイルやアラビア文学の素朴さを盛り込んだ。

クローデル（ポール） Paul Claudel (1868-1955) フランスの外交官、詩人、劇作家。1893年から1935年まで南北アメリカ、中国、ヨーロッパ各地で外交官として勤務しながら、詩集、戯曲、評論、随筆など多数の作品を残した。1921年から1927年までは駐日大使として日仏文化交流に貢献。代表作に『マリアへのお告げ』(1912)、『繻子《しゅす》の靴』(1924) など。

【け】

ゲーテ（ヨハン・ヴォルフガング・フォン） Johann Wolfgang von Goethe (1749-1832) ドイツの詩人、作家、哲学者。小説『若きウェルテルの悩み』(1774) などにより、シュトゥルム・ウント・ドラング（疾風怒濤）運動の代表的存在となる。1775年ヴァイマル公家へ招かれて仕え、やがて宰相となった。作品は詩・小説・戯曲と多方面に及び、その数も多い。代表作に『ウィルヘルム・マイスターの修業時代』(1795)、『ファウスト』(1808、1832)、『詩と真実』(1811-14) など。

ケベード（フランシスコ・デ） Francisco Gómez de Quevedo (1580-1645) スペイン・バロック期を代表する散文家、小説家、詩人。教養語から隠語まで豊富な語彙を用い，言葉遊びや奇想にみちた濃密な文体で言語の表現力を拡張した。

【こ】

呉承恩　ご・しょうおん→ウー・チョンエン

孔子　こうし (BC552-479) 中国、春秋時代の学者・思想家。早くから才徳をもって知られ、壮年になって魯に仕えたが、のち官を辞して諸国を遍歴し、十数年間諸侯に仁の道を説いて回った。晩年再び魯に帰ってからは弟子の教育に専心。後世、儒教の祖として尊敬され、東アジアの文化に古くから大きな影響を与えた。弟子の編纂になる言行録『論語』がある。

ゴーディマー（ナディン） Nadine Gordimer（1923-2014）南アフリカの女性小説家。白人の立場から一貫してアパルトヘイト政策を非難した。代表作に『保護管理人』（1974）、『バーガーの娘』（1979）、『ジャンプ』（1991）など。1991年にアフリカ人女性としては初めてノーベル文学賞受賞。

コルタサル（フリオ） Julio Cortázar（1914-1984）アルゼンチンの小説家。幻想的作風で知られ、現代人の苦悩と魂の彷徨を描いた長編小説『石蹴り遊び』（1963）は、現代ラテンアメリカ文学を代表する作品の一つ。

コレット（シドニー＝ガブリエル） Sidonie-Gabrielle Colette（1873-1954）フランスの女性小説家。田園に育ったが、文士ウィリーと結婚し、彼のすすめで小説を書き始めて文壇に登場した。離婚後はミュージック・ホールの踊り子となったが小説の筆は捨てず、第一次大戦後、小説『シェリ』（1920）で文壇に復帰し、作家としての地位を確立した。その後さらに『青い麦』（1923）、『シェリの最期』（1926）、『牝猫』（1933）などの名作を次々と発表し、20世紀を代表する女性作家としての定評を得た。

ゴロデー（デウェ） Déwé Gorodé（1949-）フランス領ニューカレドニアの女性詩人、小説家。ニューカレドニアの独立運動に参加したのち、ニューカレドニア政府の行政副長官を務める。

コンドルセ（ソフィー・ド） Sophie de Condorcet（1764-1822）フランスの数学者、哲学者、政治家であるニコラ・ド・コンドルセ侯爵（1743-1794）の妻。サロンの主宰者として有名。

コンラッド（ジョゼフ） Joseph Conrad（1857-1924）イギリスの小説家。ポーランド出身で、17歳のとき船員となり、のちイギリスに帰化。1894年海を離れて以降、『ロード・ジム』（1900）、『タイフーン』（1903）など、海洋を舞台にした小説で有名になった。他の代表作に、コンゴを舞台にした『闇の奥』（1902）、南米の小国における革命動乱を背景とする『ノストローモ』（1904）など。

【さ】

サアグン（ベルナルディーノ・デ） Bernardino de Sahagún（1499-

1590）スペイン出身のフランシスコ会士。1529年にヌエバ・エスパーニャ（メキシコ）に渡り、先住民への宣教とその教育に従事。やがて改宗後も先住民の間に残る異教的要素の根絶には征服以前の文化を知る必要があると考え、教え子の先住民から資料を集め、20余年の歳月をかけて全12部から成る『ヌエバ・エスパーニャ事物全史』を著した。ル・クレジオは『メキシコの夢』所収「原住民の夢」でサアグンを『全史』執筆へ駆り立てた夢について論じている。

サアディー　Saadi（1184頃-1291頃）中世イランの代表的詩人。イスラム諸国を約30年間遍歴の後、郷里で著作に専念。二大代表作に『果樹園』（1257）と『薔薇園』（1258）がある。『薔薇園』は散文を主体に多くの詩が詠《よ》み込まれた、ペルシア散文作品のなかで最高の位置を占める作品。中世以来もっとも名高い道徳教訓書として、現在でも広くペルシア語文化圏で愛読されている。

サッカレー（ウィリアム・メイクピース）　William Makepeace Thackeray（1811-1863）イギリスの小説家。インド駐在の財務官のひとり息子として、カルカッタ近郷に生まれる。客観的で正確な描写にすぐれ、物質生活や社交に生きる人たちを風刺的に描いて、19世紀半ば、ディケンズと並び称せられた。代表作に『虚栄の市』（1847-48）、『ペンデニス』（1850）、『ヘンリー・エズモンド』（1852）など。

サバト（エルネスト）　Ernesto Sabato（1911-2011）アルゼンチンの作家。パリのキュリー研究所で放射線の研究に従事する一方、ブルトンらシュルレアリストと交遊。帰国後は大学で理論物理学の教授となるが、独裁体制に批判的な言動により大学を追われる。その後は文学に没頭、『トンネル』（1948）、『英雄たちと墓』（1961）、『根絶者アバドン』（1974）と寡作ながら評価の高い小説を発表した。

サルトル（ジャン・ポール）　Jean-Paul Sartre（1905-1980）フランスの哲学者、小説家。無神論的実存主義とマルクス主義の統合を試みて、世界的な影響を及ぼした知識人でもある。文学者の社会参加《アンガージュマン》を主張し、共産主義に接近、反戦・平和運動に積極的に参加した。哲学論文『存在と無』（1943）、小説『嘔吐』（1938）、評論『文学とは何か』（1947）など著作多数。1964年、ノーベル文学賞の受賞を拒否。

サロート（ナタリー） Nathalie Sarraute（1902-1999）フランスの女性小説家。ロシア出身。ヌーヴォー・ロマンを代表する一人。人間の深層の意識の動きなどを追究。代表作に、『トロピスム』（1938）、『プラネタリウム』（1959）、『子供時代』（1983）など。

サンゴール（レオポルド・セダール） Léopold Sédar Senghor（1906-2001）セネガルの政治家、詩人。旧フランス領西アフリカの独立運動を進め、セネガル独立後は初代大統領に就任（在任1960-80）。早くからフランスの同化政策を批判して、マルティニク出身のセゼールとともに、黒人の伝統文化を擁護・顕彰して彼らを自らの黒人性の尊厳に目覚めさせる文化運動（ネグリチュード運動）を展開し、フランス語表現によるブラックアフリカ文学の確立に寄与した。

【し】

施耐庵 シー・ナイアン／し・たいあん（生没年不詳、14世紀頃）中国、元末・明初の小説家。『水滸伝』の作者と伝えられるが、経歴は不明。

シェークスピア（ウィリアム） William Shakespeare（1564-1616）イギリスの詩人、劇作家。俳優ののち、座付き作者として37編の戯曲、154編のソネットを書き、言葉の豊かさ、性格描写の巧みさなどで英国ルネサンス文学の最高峰と称される。四大悲劇『ハムレット』（1600）、『オセロ』（1604）、『リア王』（1605）、『マクベス』（1606）のほか、『ロミオとジュリエット』（1595）、『真夏の夜の夢』（1595）、『ベニスの商人』（1596）など。

シェニエ（アンドレ） André Chénier（1762-1794）フランスの詩人。フランス革命では穏健派中道派に属していたが、革命が先鋭化するにつれて急進派と対立し、逮捕・処刑された。生前はほとんど詩を発表せず詩人としては無名に近かったが、1819年にまとまったかたちで詩集が刊行されて評判となり、ロマン派や高踏派に影響を与えた。

ジッド（アンドレ） André Gide（1869-1951）フランスの小説家、批評家。人間性の解放を追求する個人主義的立場から、既成の道徳や社会制度を批判した。20世紀前半のフランス文壇に新風を起こした『新フランス評論』誌の中心人物の一人。代表作に『狭き門』（1909）、『田園交響楽』（1919）、『贋金づくり』（1926）など。1947

年ノーベル文学賞受賞。

シモン（クロード） Claude Simon（1913-2005）フランスの小説家。ヌーヴォー・ロマンを代表する一人。代表作に『フランドルへの道』（1960）、『農耕詩』（1981）、『アカシア』（1989）など。1985年ノーベル文学賞受賞。

シャザル（マルコム・ド） Malcolm de Chazal（1902-1981）モーリシャスの詩人。ジャン・ポーランに見出《みいだ》され、『カイエ・ド・ラ・プレイヤード』誌などに作品を発表する。

ジャナン（ジュール） Jule Janin（1804-1874）フランスの批評家、小説家。1829年から74年まで『ジュールナル・デ・デバ』紙に連載した劇評で名声を得た。劇評はのちに『フランス劇文学史』（全6巻、1853-58）としてまとめられる。ほかに『バルナーブ』（1831）などの小説多数。

シャーマン・アレクシー Sherman Alexie（1966-）アメリカの小説家、脚本家。ネイティヴ・アメリカンの血を引き、先住民保留地で育つ。短編集『ローン・レンジャーとトント、天国で殴り合う』（1993）でペン／ヘミングウェイ新人賞を受賞。『はみだしインディアンのホントにホントの物語』（2007）で全米図書賞など数々の賞を受賞。他に『リザベーション・ブルース』（1995）、『インディアン・キラー』（1996）など。

シュアレス（アンドレ） André Suarès（1868-1948）フランスの批評家。ペギーと知り合い、『半月手帖』誌の主要な寄稿者となる。またジッドの主宰する『新フランス評論』誌にも参加し、論壇に重きをなした。

ジュネ（ジャン） Jean Genet（1910-1986）フランスの小説家、劇作家、詩人。泥棒、男娼、放浪生活をしながら作品を書き、悪や汚れを鋭い感受性と多彩な言語表現で聖性に転化させた。晩年は人種問題や中東問題に関わり、政治活動もおこなった。代表作に『花のノートルダム』（1944）、『泥棒日記』（1948）など。

シュライビ（ドリス） Driss Chraibi（1926-2007）モロッコの小説家。東洋的神秘主義の影響が濃い作品を書く。代表作に『単純過去』（1954）、『カナダでの死』（1975）、『春の母』（1982）など。

ジョイス（ジェームズ） James Augustine Joyce（1882-1941）アイルランドの小説家。「内的独白」や「意識の流れ」という手法を用い、さらに言語の前衛的実験によって人間の内面を追究して、20世紀文学に多大の影響を与えた。代表作に『若き芸術家の肖像』(1916)、『ユリシーズ』(1922)、『フィネガンズ・ウェイク』(1939) など。

ショインカ(ウォレ) Wole Soyinka (1934-) ナイジェリアの詩人、劇作家。ヨルバ族出身。西欧演劇の枠組みにアフリカの伝統を融合させた、実験的な演劇を生み出した。代表作に『ライオンと宝石』(1963) など。1986年にアフリカ人としては初のノーベル文学賞を受賞。

ショーロホフ(ミハイル・アレクサンドロヴィチ) Mihail Aleksandrovich Sholohov (1905-1984) ソ連の小説家。南ロシア、ドン地方のコサックの村をほとんど離れることなく創作活動をつづけ、人間の高貴さや自然の美しさなどをすぐれた写実的手法で表現した。代表作は『静かなるドン』(1928-40)、『開かれた処女地』(1932) など。1965年ノーベル文学賞受賞。

ジルベール＝ルコント(ロジェ) Roger Gilbert-Lecomte (1907-1943) フランスの詩人。ルネ・ドーマルらと「大いなる賭け」グループを主宰し、ブルトンと対立しながらも、あくまでシュルレアリスムにこだわりつづけた。

【す】

蘇軾 スー・シー／そ・しょく (1036-1101) 中国、北宋の文人、政治家。号は東坡居士。唐宋八大家の一人。古文作家として、「赤壁賦」などの名作を残した。詩は宋代第一と称され、後世に影響を与えた。

スウィフト(ジョナサン) Jonathan Swift (1667-1745) イギリスの小説家。アイルランド出身。人間と社会を風刺した作品を発表する。代表作『ガリヴァー旅行記』(1726) は、時代や国の別を越えて普遍的な人間性風刺の作品となっている。

スタイロン(ウィリアム) William Styron (1925-2006) アメリカの小説家。歴史意識と人間の罪に対する深い思索にあふれた作品を書く。南北戦争前の旧上流階級の人々の精神的喪失感を描く『闇の中に横たわりて』(1951) でデビュー。実際に起こった奴隷反乱の扱いについて賛否両論を巻き起こした『ナット・ターナーの告白』(1967) でピュリッツァー賞受賞。『ソフィーの選択』(1979) は非ユダヤ人でありながらアウシュヴィッツの恐怖を体験した一女性の生き方を描き、映画化もされた。

スタインベック（ジョン） John Ernst Steinbeck（1902-1968）アメリカの小説家。西部の農場を舞台に、強い社会的関心に支えられた地方色豊かな作品を数多く残す。代表作に『二十日鼠と人間』（1937）、『怒りの葡萄《ぶどう》』（1939）、『エデンの東』（1952）など。

スタール夫人 Madame de Staël（1766-1817）フランスの女性小説家、批評家。ルイ16世の財務総監を務めたネッケルの娘で、駐仏スウェーデン大使スタール男爵と結婚。フランス革命時代には立憲君主主義を奉じ、たびたび国外に亡命を余儀なくされた。亡命中にゲーテやシラーと接し、ドイツ・ロマン派をフランスに紹介した。

スタンダール Stendhal（1783-1842）フランスの小説家。社会批判と心理描写にすぐれ、近代リアリズム小説の先駆者とされる。代表作に小説『赤と黒』（1830）、『パルムの僧院』（1839）、評論『恋愛論』（1822）など。

ストリンドベリ（アウグスト） Johan August Strindberg（1849-1912）スウェーデンの劇作家、小説家。赤裸々な人間像を描く自然主義的な作品を書いた。代表作に小説『赤い部屋』（1879）、『痴人の告白』（1888）、戯曲『令嬢ジュリー』（1888）、『死の舞踏』（1901）など。

【せ】

セガレン（ヴィクトル） Victor Segalen（1878-1919）フランスの詩人、小説家。海軍の軍医としてタヒチに赴《おもむ》く。ポリネシアの豊かな自然と、西洋との接触によって消えつつある土着文化に大きな啓示を受け、小説『記憶なき人々』（1907）を書く。中国に渡り、ポール・クローデルと知り合い、チベットに旅して考古学調査にも参加した。東洋を発見し、新たな形のエキゾチシズムを探究。詩集『碑』（1912）は、中国に残る碑文のかたちを言語化しようとした試みである。

セゼール（エメ） Aimé Césaire（1913-2008）フランス領マルティニク島の詩人、政治家。フランス植民地主義の同化政策を批判、黒人の文化的・政治的復権を訴えて「ネグリチュード（黒人性）」を主唱。代表作に長編詩『帰郷ノート』（1939）、評論『植民地主義論』

（1955）など。1945年から2001年までマルティニク島の中心都市フォール・ド・フランスの市長を務める。

セリーヌ（ルイ＝フェルディナン） Louis-Ferdinand Céline（1898-1961）フランスの小説家。第一次大戦後、大胆な口語表現と徹底したペシミズム、そして奇抜な物語で世界の悪意と人間の悲惨を描いた作品『夜の果てへの旅』（1932）、『なしくずしの死』（1936）で読者に大きな衝撃を与え、作家としての地位を築いた。第二次大戦の接近とともに、性急な反戦主義から、戦争原因をユダヤ人にみて、一連の狂気じみた反ユダヤ文書を発表。第二次大戦後に戦犯の罪に問われた。

セルバンテス（ミゲル・デ） Miguel de Cervantes Saavedra（1547-1616）スペインの小説家。スペインやイタリアの各地を転々としたのち、レパントの海戦に参加して功績があったが、帰国の途中トルコ軍に捕えられて5年間の虜囚生活をおくった。帰国後も投獄や破門を体験するなど、波乱に富んだ生活をおくりながら、1580年前後から創作を始め、1605年に『ドン・キホーテ』の前編、15年に後編を出版。騎士道の理想へひたすら進むキホーテと、現実主義者の従士サンチョ＝パンサの二つの人格の創造によって、近代小説に革新をもたらした。

【そ】

蘇軾 そ・しょく→スー・シー

ソー・ファル（アミナタ） Aminata Sow Fall（1941-）セネガルの女性小説家。自国の社会、教育問題を幅広く描く社会派。パリ大学留学後、高校教師を経て、フランス語教育改革や文化遺産復興事業に参画。『幽霊』（1976）で、フランス語圏ブラックアフリカ初の女性作家として注目される。

曹雪芹 そう・せっきん→ツァオ・シュエチン

荘子 そうし（生没年不詳、紀元前4世紀）中国古代の思想家。諸子百家のなかの道家の代表者。儒教の人為的礼教を否定し、自然に帰ることを主張した。老子と合わせて老荘という。

ソフォクレス Sophokles（BC496頃-406）アイスキロス、エウリピデスと並ぶ古代ギリシア三大悲劇詩人の一人。ギリシア悲劇を技巧的、形式的に完成させた。現存する作品は『アンティゴネ』、『エレクトラ』、『オイディプス王』など7編。

ソーマデーヴァ Somadeva（生没年不詳、11世紀）インドのカシュミールの詩人。バラモンの生まれで、カシュミールのアナンタ王、およびその息子のカラシャ王に仕えた。1063年から81年にかけて、アナンタ王の妃スーリヤヴァティーを慰めるために、20年近くを費やして『カター・サリット・サーガラ』を著したとされる。

ゾラ（エミール） Émile Zola（1840-1902）フランスの小説家。人間を遺伝・環境・時代の3要素でとらえる「実験小説論」（1880）を提唱し、この理論を「ルーゴン・マッカール叢書」と呼ばれる作品群で実践、自然主義作家としての地位を確立した。ドレフュス事件では人権擁護の論陣を張り、イギリスへ亡命せざるをえなくなった。代表作に『居酒屋』（1877）、『ナナ』（1880）、『ジェルミナール』（1885）など。

ソロー（ヘンリー・デイヴィッド） Henry David Thoreau（1817-1862）アメリカのエッセイスト、思想家。エマーソンの超絶主義の影響を受け、「非人間的で純粋な自然」を追求。政治的には、無政府主義的立場をつらぬいた。代表作『ウォールデン――森の生活』（1854）。

孫子 そんし（生没年不詳、紀元前5世紀頃）中国春秋時代の兵法家。呉の軍師として活躍した孫武のこと。その著『孫子』は、始計・作戦・軍形・兵勢などに分けて兵法を論じたもの。

【た】

ダプレ・ド・マヌヴィレット（ジャン=バティスト） Jean-Baptiste d'Après de Mannevillette（1701-1780）フランスの水路測量師。フランス東インド会社の船長としてインドや中国の沿岸の海図を作成した。

ダリオ（ルベン） Rubén Darío（1867-1916）ニカラグア生まれの詩人。フランス象徴派の感化を受け、スペイン語詩の近代主義の祖となった。代表作は『生命と希望の歌』（1905）。

ダン（ジョン） John Donne（1572-1631）イギリスの詩人、聖職者。大胆な機知と複雑な言語を駆使した形而上派詩人の代表的存在。後半生は国教の聖職者となり、セント・ポール寺院の首席司祭をつとめた。

【ち】

張若虚　チャン・ルオシュイ／ちょう・じゃくきょ（660-720）中国、初唐の詩人。経歴はほとんど伝わらず現存の詩もわずか2首。そのうちの「春江花月夜」1首により、現代にまで名が残っている。

【つ】

曹雪芹　ツァオ・シュエチン／そう・せっきん（1715-1763）中国、清の小説家。貴族の御曹子賈《か》宝玉《ほうぎょく》と従妹林黛玉《りんたいぎょく》との悲恋を、栄華をきわめた賈家の没落を背景に描く『紅楼夢』の作者とされる。

【て】

ディキンソン（エミリー）　Emily Dickinson（1830-1886）アメリカの女性詩人。自然・愛・死・神などを主題にした作品を多数残すが、数編を除いては死後に発表された。

ディケンズ（チャールズ）　Charles Dickens（1812-1870）イギリスの小説家。主に下層階級を主人公とし、弱者の視点で社会を諷刺した作品を残す。代表作に『オリバー・ツイスト』（1838）、『クリスマス・キャロル』（1843）、『デイヴィッド・コパフィールド』（1850）、『二都物語』（1859）など。

デヴィ（アナンダ）　Ananda Devi（1957-）モーリシャスの女性小説家。『瓦礫のイヴ』（2006）でフランス語圏五大陸賞を受賞。

デフォー（ダニエル）　Daniel Defoe（1660-1731）イギリスの小説家、ジャーナリスト。さまざまな商業活動に従事したあと著作活動に入り、政党政治の渦中でジャーナリストとして活躍、その諷刺記事が筆禍事件を起こす。晩年には物語を手がけ、イギリス小説全盛期の先駆をなした。小説『ロビンソン・クルーソー』（1719）で知られる。

デュカス（イジドール）　Isidore Ducasse→ロートレアモン

デュマ（アレクサンドル）　Alexandre Dumas（1802-1870）フランスの小説家、劇作家。波瀾万丈のストーリー性に富んだ作風で人気を博した。17世紀初頭のルイ13世時代を背景とし、主人公ダルタニャンとその仲間たちの冒険を語る『三銃士』（1844）、陰謀ですべてを失った男ダンテスの壮大な復讐物語『モンテ＝クリスト伯』（1844-45）などが有名。

【と】

杜甫　ドゥー・フー／と・ほ（712-770）中国、盛唐期の詩人。青年時代から各地を放浪。湖南省の湘江付近で不遇の一生を終えた。現実の社会と人間を直視し、誠実かつ雄渾《ゆうこん》な詩を作り、律詩の完成者で詩聖と称され、李白と並ぶ唐代の代表的詩人とされる。

トウェイン（マーク）　Mark Twain（1835-1910）アメリカの小説家。ユーモアと社会風刺に満ちた作品で名を成すが、後年、ペシミスチックな作風に転じた。代表作に『トム・ソーヤーの冒険』（1876）、『ハックルベリー・フィンの冒険』（1885）、『不思議な少年』（1916）など。

ドストエフスキー（フョードル・ミハイロヴィチ）　Fiodor Mikhaïlovitch Dostoïevski（1821-1881）ロシアの小説家。混迷する社会の諸相を背景として、内面的、心理的矛盾と相克の世界を描き、人間存在の根本的問題を追究。20世紀の文学に多大の影響を与えた。代表作に『罪と罰』（1866）、『悪霊』（1871-72）、『カラマーゾフの兄弟』（1879-80）など。

ドス・パソス（ジョン）　John Roderigo Dos Passos（1896-1970）アメリカの小説家。急進主義的な立場から、映画の技法を取り入れるなど前衛的な手法を駆使した社会小説を書いた。代表作に『北緯四十二度線』（1930年）、『一九一九年』（1932年）、『ビッグ・マネー』（1936年）から成る「U・S・A」3部作など。

ドービニェ（アグリッパ）　Théodore Agrippa d'Aubigné（1552-1630）フランスの詩人。シャルル9世、アンリ3世の宮廷に出仕したのち、プロテスタントのアンリ・ド・ナヴァール（後のアンリ4世）の旗下に入り、生涯剣と筆を振るってプロテスタントのために戦った。王の改宗後は引退、詩作と執筆に専念した。

杜甫　と・ほ→ドゥー・フー

トルストイ（レフ・ニコラエヴィチ）　Lev Nikolaevich Tolstoi（1828-1910）ロシアの小説家、思想家。人間の良心とキリスト教的愛を背景に、人道主義的文学を樹立。晩年、放浪の旅に出て病死。代表作は『戦争と平和』（1863-69）、『アンナ・カレーニナ』（1873-77）、『復活』（1889-99）、『クロイツェル・ソナタ』（1891）など。

【ね】

ネサワルコヨトル　Netzahualcóyotl（1402-1472）古代メキシコのテスココ王国の支配者、詩人。王である父が暗殺されたため青年時代は亡命生活を送ることを余儀なくされたが、後にテスココを再征服して王座につく。王国に最盛期をもたらした名君であるとともに、詩作に長《た》けた教養人としても知られる。ル・クレジオは『メキシコの夢』所収の「ネサワルコヨトル――言葉の祭」でこの君主の詩について書いている。

ネルヴァル（ジェラール・ド）　Gérard de Nerval（1808-1855）フランスの詩人、小説家。ロマン主義の運動に参加。のち狂気の発作に苦しみつつ、夢と幻想の世界を作品化したが自殺。代表作に旅行記『東方旅行記』（1851）、詩集『幻想詩集』（1854）、短編集『火の娘たち』（1854）など。

ノヴァーリス　Novalis（1772-1801）ドイツの詩人、小説家。前期ロマン派の代表者。宇宙万有を統一的なものとして認識し、自然および歴史の一切をポエジーにおいて合一することを追求した。代表作に小説『青い花』（1800）、詩「夜の讃歌」（1800）など。

ノディエ（シャルル）　Charles Nodier（1780-1844）フランスの小説家。幻想文学の領域で本領を発揮し、悪夢の呪縛を語る『スマラ』（1821）、妖精に愛され甘美な狂気におちいっていく男の体験を描く『パン屑の妖精』（1832）などが代表作。彼のサロンはユゴーなど多くの作家を集め、ロマン主義運動の拠点の一つになった。

ノリス（フランク）　Frank Norris（1870-1902）アメリカの小説家。ゾラの作品やダーウィンの進化論などに影響を受け、遺伝と環境の力によって破滅する人間の姿を描いた『マクティーグ』（1899）でアメリカ文学に自然主義を導入する。社会・経済の仕組みに対する強い関心のもと「小麦叙事詩」を構想し、小麦の生産と輸送トラストを扱う『オクトパス』（1901）、小麦取引所と投機を扱う『穀物取引所』（1903）を発表した。

【は】

巴金　パー・ジン／ぱ・きん（1904-2005）中国の小説家。フランスに留学後、革命と愛に苦悩する青年を主人公とした長編『滅亡』

(1929) を発表して文壇に登場、『家』(1933)、『春』(1938)、『秋』(1940) の「激流」三部作、『憩園』(1944)、『寒夜』(1947) など、多数の長編を発表した。文化大革命の時期にはブルジョア作家として厳しい批判と迫害を受けたが、1977年に名誉を回復、執筆活動を再開した。

ハイダー(クラトゥレイン) Qurratulain Hyder (1927-2007) インドの女性小説家。ウルドゥー語で創作をおこなう。

バイロン卿 Lord Byron (1788-1824) イギリスの詩人。社会の偽善を痛罵風刺し、生の倦怠と憧憬をうたいあげ、ロマン派の代表者となる。欧州各国を放浪、ギリシア独立戦争に参加して病死。代表作に長編物語詩の『チャイルド・ハロルドの遍歴』(1812) や『海賊』(1814)、詩劇『マンフレッド』(1817)、未完の長詩『ドン・ジュアン』(1819-24) など。

ハガード(ライダー) Henry Rider Haggard (1856-1925) イギリスの小説家。暗黒大陸と呼ばれた時代のアフリカなど人跡未踏の秘境を舞台とした秘境探検小説を主に著した。代表作に『ソロモン王の洞窟』(1885)、『洞窟の女王』(1887) など。

莫言 ばく・げん→モー・イエン

朴贊郁 パク・チャヌク (1963-) 韓国の映画監督。日本の漫画を実写映画化した『オールド・ボーイ』(2004) でカンヌ国際映画祭のグランプリを受賞した。

パス(オクタビオ) Octavio Paz (1914-1998) メキシコの詩人、評論家。シュルレアリスムの正統的かつ批判的継承者として知られる。創作活動は多岐にわたり、詩集、詩論、評論を多数発表。インド・中国・日本の思想・文化にも通暁し、古今東西にわたる文明批評を縦横に展開する。代表作に詩集『言葉のかげの自由』(1949)、詩論『弓と竪琴』(1956)、評論『孤独の迷宮』(1960) など。1990年ノーベル文学賞受賞。

バタイユ(ジョルジュ) Georges Bataille (1897-1962) フランスの思想家、作家。はじめ聖職を志したが、思春期を境に徹底した無神論者に転向。死とエロティシズムを中心テーマに、無神論の立場から人間の至高の在り方を追究した。代表作に『無神学大全』(1943-45)、『眼球譚』(1928)、『マダム・エドワルダ』(1941)、『エロティシズム』(1957) など。

バック（パール） Pearl Buck（1892-1973）アメリカの女性小説家。宣教師の両親とともに少女時代から長く中国で生活。中国の民衆への深い理解と愛情をもって、農民の生活を描いた小説『大地』（1931）などを発表した。1938年ノーベル文学賞受賞。

ハベル（スー） Sue Hubbell（1935-2018）アメリカの女性小説家。ミシガン大学動物学部を卒業したのち、図書館司書などを経て、1972年よりミズーリ州オザーク山地で養蜂業をはじめる。自伝的小説『田舎での一年』（1986）の仏訳版にはル・クレジオが序文を寄せている。

バルザック（オノレ・ド） Honoré de Balzac（1799-1850）フランスの小説家。近代リアリズム小説の代表者。「人間喜劇」の総題のもとに、パリをはじめとするフランス社会の風俗と、典型的人間像を約90編の小説を通して描いた。代表作に『ゴリオ爺さん』（1835）、『谷間の百合』（1836）、『従妹ベット』（1847）、『従兄ポンス』（1848）など。

バルト（ロラン） Roland Barthes（1915-1980）フランスの批評家、記号学者。独創的な新文学理論を示す『零度のエクリチュール』（1953）で登場し、文学から形象にいたる広範な分野で先鋭的な批評活動を展開する。1966年に来日し、斬新な日本文化論『表徴の帝国』（1970）を発表。ほかに『モードの体系』（1967）、『恋愛のディスクール・断章』（1977）、『明るい部屋』（1980）など。

班婕妤 はん・しょうよ（BC48頃-AD6頃）中国、前漢の女官。婕妤は官名。成帝に仕えたが、寵を趙飛燕姉妹に奪われた後は、退いて太后に仕えた。「怨歌行」はその時悲しんで作った歌といわれる。失寵した女性の象徴として、詩の主題にあつかわれることが多い。

【ひ】

畢飛宇 ビー・フェイユイ／ひつ・ひう（1964-）中国の小説家。南京大学教授、江蘇省作家協会副主席。文革期の農村を舞台に、玉米《ユイミー》、玉秀《ユイシユウ》、玉秧《ユイヤン》という三姉妹の波乱の人生を描く三部作『玉米』（2001）、盲目のマッサージ師たちを描く『ブラインド・マッサージ』（2009）など。

ビュトール（ミシェル） Michel Butor（1926-2016）フランスの小説家。はじめ詩を書いたが、小説『時間割』（1956）、『心変り』

(1957) によって有名になる。精緻な部分描写の積み重ね、時間と人称の処理など、一作ごとに斬新な手法を探究して、ヌーヴォー・ロマンの代表的作家と目される。『土地の精霊』(全5巻、1958-96) は、書簡体から散文詩にいたる多様なスタイルによる旅行印象記によって構成される。

【ふ】

フォークナー(ウィリアム) Willam Faulkner (1897-1962) アメリカの小説家。解体に瀕する南部の農園社会の悲惨な生活を、内的独白、錯綜する時間的構成などの手法を用いて描いた。代表作に『響きと怒り』(1929)、『サンクチュアリ』(1931)、『八月の光』(1932) など。1949年ノーベル文学賞受賞。

ブーガンヴィル(ルイ・アントワーヌ・ド) Louis Antoine de Bougainville (1729-1811) フランスの航海者、軍人。はじめ陸軍に属していたが、後に海軍に移り1766年から69年にかけて世界周航をおこなう。『世界一周旅行記』(1771) は好評を博し、特にタヒチ島に関する記述はディドロなどの思想家に影響を与えた。

プラトン Platōn (BC427頃-347) 古代ギリシアの哲学者。ソクラテスの弟子。アテナイ西北部に学園(アカデメイア)を開く。経験的世界を超えて存在するイデアを真実在とし、想起によってイデアに至ろうとする観念論哲学を樹立した。著書は『ソクラテスの弁明』、『饗宴』、『国家』など約30編の対話編。

フランス(アナトール) Anatole France (1844-1924) フランスの小説家、批評家。高踏派詩人として出発するが、やがて関心は小説の方へ向かい、『シルベストル・ボナールの罪』(1881) によって名声が高まる。代表作に『舞姫タイス』(1890)、『赤い百合』(1894)、『神々は渇く』(1912) など。1921年ノーベル文学賞受賞。

プルースト(マルセル) Marcel Proust (1871-1922) フランスの小説家。長編小説『失われた時を求めて』(1913-27) により、20世紀の文学に世界的な規模で深い影響を与えた。全7編よりなるこの作品は、作家志望の語り手が、自分の主題も見出《みいだ》すことができぬままに家庭や社交界、あるいはいくつかの恋愛などを通して体験や見聞を積み重ねた後に、最終編において、無意志的記憶によってよみがえる自分の過去の〈時間〉こそが作品の素材であることを自覚する、というもの。第三共和制時代のパリのブルジョアの日常生活や、上流社交界、避暑地の生活、同性愛者の生態などが、〈時間のなかの心理学〉によって克明かつ皮肉に描写されている。

ブルトン（アンドレ） André Breton（1896-1966）フランスの詩人、小説家、批評家。シュルレアリスムの理論と実践における指導者として、20世紀の文学・芸術・思想の諸潮流に広範な国際的影響を及ぼした。代表作に『シュルレアリスム宣言』（1924）、『ナジャ』（1928）など。

ブレイク（ウィリアム） Wiliam Blake（1757-1827）イギリスの詩人、画家、銅版画職人。独特の彩色版画印刷法を用いて『無垢の歌』（1789）、『経験の歌』（1794）などの詩画集を発表し、深い精神性をもつ幻視と幻想の世界を象徴的に表現した。

フレイレ（ジルベルト） Gilberto de Mello Freyre（1900-1987）ブラジルの思想家、批評家。20世紀のブラジルを代表する文化人。代表作『大邸宅と奴隷小屋』（1933）は、植民地時代のブラジルにおけるプランテーションでの家父長制下の社会と生活を描いたもの。

プレヴェール（ジャック） Jacques Prévert（1900-1977）フランスの詩人、シナリオ作家。映画・演劇・風刺詩・シャンソンなどの領域にまたがる多彩な活動を展開。戦争、宗教界、ブルジョワ社会の不正を告発し、自由・反抗・友愛を賛美する作品が多い。代表作である詩集『パロール』（1946）は、1930年代から第二次大戦下にかけて各種の政治的パンフレットや小雑誌に発表した作品をまとめたものである。シナリオとしてはカルネ監督『天井桟敷の人々』（1943）が有名。

フロベール（ギュスターヴ） Gustave Flaubert（1821-1880）フランスの小説家。青年期に終生の持病となる神経疾患の最初の発作に襲われて、ルーアン近郊のクロアッセの家に引きこもり、以来ここでひたすら文学創作に専念する生活を送る。冷厳な観察、精密な描写、客観的な表現をめざし、ロマン主義的な感傷的告白、叙情的誇張を嫌い、写実的な手法と文体を確立した。代表作に『ボヴァリー夫人』（1856）、『感情教育』（1869）など。

ブロンテ姉妹 イギリスのヴィクトリア朝時代を代表する小説家姉妹。シャーロット（1816-1855）、エミリー（1818-1848）、アン（1820-1849）の3人を指す。シャーロットは『ジェーン・エア』（1847）、エミリーは『嵐が丘』(1847)、アンは『ワイルドフェル屋敷の人々』(1847) を発表し、イギリス文壇に多大な影響を与えた。

【へ】

ペギー(シャルル) Charles Péguy (1873-1914) フランスの詩人、批評家。ドレフュス事件に関係した後、1900年に個人雑誌『半月手帖』を創刊。同誌は幾多の危機を克服して、第一次世界大戦におけるペギーの戦死まで刊行された。1908年カトリックに改宗し、『ジャンヌ・ダルクの愛徳の神秘劇』(1910) など神秘主義的な宗教詩を書いた。

ベケット(サミュエル) Samuel Beckett (1906-1989) アイルランド出身のフランスの劇作家、小説家、詩人。不条理演劇を代表する作家の一人であり、小説においても20世紀の重要作家の一人とされる。代表作に戯曲『ゴドーを待ちながら』(1952)、小説『モロイ』(1951) など。1969年ノーベル文学賞受賞。

ペトラルカ(フランチェスコ) Francesco Petrarca (1304-1374) イタリアの詩人、人文主義者。ルネサンス期の代表的叙情詩人。恋人ラウラへの愛を歌った詩集『カンツォニエーレ』(1374) のほか、ラテン語の叙事詩『アフリカ』(1338) など。

【ほ】

ポー(エドガー・アラン) Edgar Allan Poe (1809-1849) アメリカの詩人、小説家、批評家。音楽的諧調を重視した耽美的な詩は、純粋詩の詩論とともに象徴派などに大きな影響を与えた。また、怪奇的、幻想的な短編小説を発表し、推理小説の開拓者ともされる。詩「大鴉」(1845)、小説『アッシャー家の崩壊』(1839)、『モルグ街の殺人』(1841)、『黄金虫』(1843)、『黒猫』(1843) など。

ボイエル(ヨハン) Johan Bojer (1872-1959) ノルウェーの小説家。貧しい農民や漁民を題材とした作品が多い。第一次世界大戦に際しては、文明の虚偽を描いて単純な農村生活に救いを見出《みいだ》す『大なる飢え』(1916) を発表して歓迎を受けた。代表作に『最後のヴァイキング』(1921)、『海辺の人々』(1929) など。

ボーヴォワール(シモーヌ・ド) Simone de Beauvoir (1908-1986) フランスの女性小説家、批評家。サルトルの実存主義哲学の主要な同志として盛んな著作活動と社会的実践をおこなう。女性の状況と意識を徹底的に追究した画期的な女性論『第二の性』（1949）などによって、20世紀後半の世界的な女性解放運動の先駆的役割を果たす。

ボウルズ（ポール） Paul Frederic Bowles（1910-1999）アメリカの小説家。初め作曲家を志し、劇、オペラ、バレエなどの作曲を試みたが、のち小説に転じ、『シェルタリング・スカイ』（1949）、『雨は降るがままにせよ』（1952）、『蜘蛛の家』（1955）など、北アフリカを舞台にし、異国情緒のなかに複雑な人間心理のあやを織り込んだ実存主義的作品を発表した。

墨子 ぼくし（BC470頃-390頃）中国戦国時代初期の思想家。墨家の始祖。家族愛を中心に説く儒家と対立して、親疎や遠近の区別をしない無差別な人間愛である「兼愛」を説き、これにもとづいて、「非攻」（戦争反対）、「節葬」（葬儀を簡略にせよ）、「非楽」（音楽を廃止せよ）をとなえ、働かざる者は食うべからずと主張した。

ボードレール（シャルル） Charles Baudelaire（1821-1867）フランスの詩人。詩集『悪の華』（1857）で近代生活の憂愁、退廃的な官能美、カトリック的神秘感と反逆的熱情を象徴的な手法、音楽的・暗示的な詩句で歌い、フランス近代詩の創始者となった。死後刊行の散文詩集『パリの憂愁』（1869）は、都会の日常生活風景に素材をくみながら、詩人の錯綜した内面世界を垣間見せる。批評家としても一流で、とりわけ美術批評の領域ではドラクロワを評価し、ギースの近代性、風刺画家たちの特徴をよくとらえ、リアリズム、写真などへ移行する美術史の流れの中で重要な視点を提出した。

ボーマルシェ（ピエール＝オーギュスタン・カロン・ド） Pierre-Augustin Caron de Beaumarchais（1732-1799）フランスの劇作家。『セビーリャの理髪師』（1775）や『フィガロの結婚』（1784）などの才気に満ち、風刺の利いた戯曲で、貴族階級の横暴を描いた。

ホメロス Hómēros（生没年不詳、紀元前8世紀頃）古代ギリシアの詩人。二大叙事詩『イリアス』、『オデュッセイア』の作者とされる。この叙事詩はどちらもトロイア戦争を扱ったもので、前者はアキレウスの憤怒を、後者はオデュッセウスの漂浪と帰国後に妻の求婚者を殺戮した次第を歌う。

ポーラン（ジャン） Jean Paulhan（1884-1968）フランスの評論家、

編集者。1925年に『新フランス評論』誌の編集長に就任、多くの作家を育てて「フランス文学の黒幕」と呼ばれた。1940年ドイツ軍のパリ占領とともに辞任すると、1941年には非合法文学紙『レ・レットル・フランセーズ』を創刊し、レジスタンス文学の推進者となった。戦後、廃刊されていた『新フランス評論』誌を蘇らせた。新人発掘の名人とされ、またその書簡は、現代フランス文壇史を語るには欠くことのできない資料といわれている。

ボルヘス（ホルヘ・ルイス） Jorge Luis Borges（1899-1986）アルゼンチンの詩人、小説家。ブエノスアイレスの風物詩集『ブエノスアイレスの熱狂』（1923）などにより詩人として認められた後、散文に精力を注ぎ、幻想的短編集『伝奇集』（1944）、『エル・アレフ（不死の人）』（1949）などを著した。

ポーロ（マルコ） Marco Polo（1254-1324）ヴェネツィア共和国の商人、旅行家。1271年、陸路で東方へ旅立ち、中央アジアを経て元に到った。フビライに厚遇されて17年間滞在し、各地を旅行。1295年に海路でヴェネツィアに帰国したが、ジェノバとの戦争で捕虜となり、獄中で『東方見聞録』を筆録させ、東洋事情をヨーロッパに紹介した。

【ま】

マシーセン（ピーター） Peter Matthiessen（1927-2014）アメリカの小説家、批評家。文芸誌『パリス・レヴュー』の創刊に参画後、作家としてデビュー。小説としては、アマゾンのジャングル地帯に入った宣教師たちがインディオ文化を破壊するテーマを扱う『神の庭に遊びて』（1965）や、カリブ海の漁師を扱う『遥かな海亀の島』（1975）などがある。ノンフィクションも多数手がけ、なかでも自身が体験した2カ月間のチベットでの探究を書いた『雪豹』は高く評価され、全米図書賞などを受賞した。

マフフーズ（ナジーブ） Naguib Mahfouz（1911-2006）エジプトの小説家。エジプトのみならず、アラブ世界で広く読まれている。生まれ育ったカイロの下町を舞台として、エジプトの庶民を描いた作品を次々と世に送り出す。代表作に『バイナル・カスライン』（1956）を含む「カイロ三部作」など。1988年にアラブの作家として初めてノーベル文学賞を受賞。

マラパルテ（クルツィオ） Curzio Malaparte（1898-1957）イタリアの小説家、批評家。早熟な政治少年で、若くして第一次世界大戦に志願。1922年、ファシストのローマ進軍に参加、以後、ファシズム左派の立場を代表する知識人の一人として、両大戦間の文学界、ジャーナリズム界に重きをなした。第二次大戦中、ヨーロッパ各地の前線を巡り歩いて得た見聞を綴《つづ》ったルポルタージュ小説『壊れたヨーロッパ』（1944）と連合国軍支配下のナポリを生々しく描いた『皮』（1949）の二作が代表作とされる。

マラルメ（ステファヌ） Stéphane Mallarmé（1842-1898）フランスの詩人。高等中学の教師として英語を教える傍ら、生涯にわたって詩の可能性を探り、『エロディヤード』（1871）、『半獣神の午後』（1876）などの傑作を書いて、1880年頃から象徴派の中心的存在となった。毎週1回ローマ街の自宅で開いた「火曜会」には、多くの文人や芸術家がつどい、常連にヴァレリー、ジッド、クローデルなどがいた。

マリー・ド・フランス Marie de France（生没年不詳、12世紀）中世フランスの女性詩人。イギリスに住みその宮廷の保護を受けたと推定されているが、生涯についてはほとんど知られていない。ブルターニュに伝わる口承詩に取材して、「二人の恋人」、「すいかずら」など12編の短編物語詩を『十二の恋の物語』（1160頃）としてまとめてヘンリー2世に献じた.

マルクス・アウレリウス Marcus Aurelius Antoninus（121-180）古代ローマの皇帝。在位161-180。五賢帝の最後の皇帝。辺境諸種族との戦いに奔走する一方、ストア学派の哲学者としても知られ、哲人皇帝と称された。陣中で書かれた『自省録』では、宇宙の理性、超越的摂理に従うための人間の敬虔かつ謙虚な生き方が強調される。

マルグリット・ド・ナヴァル Marguerite de Navarre（1492-1549）国王フランソワ1世の姉でナヴァル王妃。王族の立場を活用して人文主義者・福音主義者を物心両面で援助して、保守的カトリック教会権力の圧迫から庇護し、「フランスのミネルヴァ」として敬慕された。自らも寓喩的、神秘的な詩や物語を書き、『デカメロン』にならった小話集『エプタメロン』（1559）のほか、宗教劇、喜劇数編を残している。

マルロー（アンドレ） André Malraux（1901-1976）フランスの小説

家、政治家。東洋語学校に学ぶ。考古学調査のためインドシナにおもむき、クメール文化遺跡の発掘に従事するとともに、インドシナおよび中国の革命運動に参加。その体験と思索をエッセー『西欧の誘惑』(1926)、小説『人間の条件』(1933) などに著した。第二次世界大戦中は対独レジスタンスの闘士としても活躍、戦後はド・ゴール政権の情報相、文化相を歴任した。

マンデヴィル（ジョン） Sir John Mandeville（生没年不詳、14世紀）イギリスの貴族、旅行家。最初フランス語で書かれ、たちまちヨーロッパ中に流布した『東方旅行記』の作者と目されている。『東方旅行記』は二部からなり、第一部は聖地巡礼紀行、第二部は驚異に満ちた東洋諸邦めぐりになっているが、ほとんどは他の書物からの抜き書きや流用で構成されている。プレスター・ジョン伝説や東洋の怪物についての記述をはじめ、中国、チベット、モンゴルに及ぶ奇想天外な地誌が含まれ、大航海時代が到来するまで幻想的な東洋観を普及させる主要な源泉の一つであった。

【み】

ミシュレ（ジュール） Jules Michelet (1798-1874) フランスの歴史家。国民的・反教会的立場をとってフランスの革命的伝統と歴史における民衆の創造力を主張。主著『フランス史』(全17巻、1833-67)、『フランス革命史』(全7巻、1847-53)。

ミショー（アンリ） Henri Michaux (1899-1984) フランスの詩人、画家。ベルギー生まれ。奇怪な幻想に満ちた内的領土を描いた『グランド・ガラバーニュの旅』(1936)、生の困難を戯画化した『プリューム』(1938) などの詩集がある。また、麻酔性をもつメスカリンをはじめとする幻覚剤を用いた内部世界探求の軌跡が『みじめな奇蹟』(1955) などの著作や膨大な数のデッサンにみられる。ル・クレジオは24歳のときにミショーに関する論文で高等研究免状を取得したほか、1978年には『氷山へ』で独自のミショー論を展開している。

ミストラル（ガブリエラ） Gabriela Mistral (1889-1957) チリの女性詩人。恋人の自殺というショッキングな事件で味わった悲哀と苦悩をうたった『死のソネット』(1914) で詩人として出発する。1945年にラテンアメリカの文学者としては最初のノーベル文学賞を受けた。

【め】

メストコショ（リタ） Rita Mestokosho（1966-）ケベック（カナダ）の先住民イヌー族の女性詩人。先住民の言語と文化の保護を訴える活動家としても知られる。

メルテロロン（マルセル） Marcel Melthérorong（1975-）バヌアツの音楽家、小説家。フランス語で書いた処女作『トーガン』（2007）で批評家の注目を集める。2009年に再版された際には、ル・クレジオが序文を書いた。

【も】

莫言 モー・イエン／ばく・げん（1955-）中国の作家。1976年に人民解放軍に入隊し、軍の図書室の管理員などをしながら執筆活動を開始。故郷を舞台に日中戦争を描いた『赤い高粱《コーリヤン》』（1986）が大ヒットし、作家として注目された。その後、フォークナーやガルシア・マルケスらの影響を受け、現実と幻想を織り交ぜたマジック・リアリズムの手法で次々と話題作を発表。露骨な性描写などを理由に一時発禁処分を受けた『豊乳肥臀』（1996）や、一人っ子政策の問題点を指摘する『蛙鳴《あめい》』（2009）など、中国当局のタブーに挑戦する作品も多い。2012年ノーベル文学賞受賞。

モア（トマス） Thomas More（1478-1535）イギリスの政治家、思想家。エラスムスなどの人文主義者たちと交流し、理想的国家像を描く『ユートピア』（1516）を著した。

孟子 もうし（BC372頃-289頃）中国、戦国時代の思想家。性善説に立ち、人は修養によって仁義礼智の四徳を成就する可能性をもつことを主張。また、富国強兵を覇道としてしりぞけ、仁政徳治による王道政治を提唱。後世、孔子と並んで孔孟と称され、亜聖の名がある。

モーパッサン（ギ・ド） Guy de Maupassant（1850-1893）フランスの小説家。自然主義の代表的作家の一人。フロベールに師事し、短編「脂肪の塊」（1880）で名声を博して、以来明晰な文体、みごとな人物・風景・心理描写で数多くの短編を発表するが、厭世と疲労の果てに精神を病み、短命に終わった。『女の一生』（1883）、『ベラミ』（1885）などの長編小説も残している。

モマディ（ナヴァル・スコット） Navarre Scott Momady（1934-）アメリカの小説家。先住民カイオワ族出身でナヴァホ語とカイオワ語を聞いて育つ。処女長編『夜明けの家』（1968）でネイティヴ・アメリカン作家初のピュリッツァー賞を受賞した。ほかに『レイニ・マウンテンへの道』（1969）など。

モンテスキュー（シャルル＝ルイ・ド・スゴンダ・ド） Charles-Louis de Secondat, Baron de La Brède et de Montesquieu（1689-1755）フランスの啓蒙思想家。『法の精神』（1748）で法の原理を実証的に考察、三権分立論はフランス革命やアメリカ憲法などに大きな影響を与えた。他にフランスの政治・社会制度を風刺・批判した『ペルシア人の手紙』（1721）などがある。

【ゆ】

余華 ユイ・ホワ／よ・か（1960-）中国の作家。歯科医を経て23歳で作家に転身。代表作に、毛沢東時代を生き抜いた庶民の物語『活きる』（1992）、文化大革命から開放経済まで描いた『兄弟』（2005-06）など。

ユイスマンス（ジョリス＝カルル） Joris-Karl Huysmans（1848-1907）フランスの小説家。生涯の大半を内務省属官に在職のまま文筆活動を続けた。文学的には自然主義作家として出発したが、やがて緻密な文体を駆使して神秘的・象徴主義的な『さかしま』（1884）を書いた。さらに『彼方』（1891）では悪魔崇拝を描いたが、1892年カトリックに改宗、『大伽藍』（1898）などで中世のカトリシズムに対する神秘主義的なあこがれを吐露した。

ユゴー（ヴィクトル） Victor-Marie Hugo（1802-1885）フランスの詩人、小説家、劇作家。戯曲『エルナニ』（1830）の上演によってロマン主義の指導者としての名声を確立。二月革命を機に共和政を支持し、1851年のナポレオン3世のクーデタに反対して国外追放となる。19年間にわたる亡命生活の間に、その詩作の最高傑作といわれる『静観詩集』（1856）、人類進歩の思想を表明してフランス最大の叙事詩といわれる『諸世紀の伝説』の第一集（1859）、長編小説『レ・ミゼラブル』（1862）などを書いた。帝政没落とともにパリに戻り、死に際しては国葬の礼を受けた。

ユルスナール（マルグリット） Marguerite Yourcenar（1903-1987）

フランスの女性小説家。ベルギー生まれ。自己の生涯を回顧し、絶頂期にある文明の未来を冷静に見つめるローマ皇帝の独白『ハドリアヌス帝の回想』(1951)によって文名を確立した。1981年、女性初のアカデミー・フランセーズ会員となる。

尹東柱　ユン・ドンジュ(1917-1945)朝鮮の詩人。留学で日本の同志社大学英文科に在学中に独立運動に関わった容疑で逮捕され、獄死した。遺稿の多くは解放後発刊された『空と風と星と詩』(1948)に収録されている。

【よ】

余華　よ・か→ユイ・ホワ

【ら】

老舎　ラオ・シャー/ろう・しゃ(1899-1966)中国の小説家。北京の貧しい満州旗人の家に生まれる。ロンドン大学留学中に創作を始め、帰国後は『駱駝祥子《らくだのシアンツ》』(1932)など多くの長・短編小説を精力的に発表。抗日戦中は中華全国文芸界抗敵協会の責任者として活躍、また日本軍占領下の北京を描いた大作『四世同堂』(三部作、1944-50)を書く。文化大革命初期の1966年夏、紅衛兵の攻撃の的となり迫害され自殺した。文化大革命終結後に名誉回復。1979年に未完の自伝的小説『正紅旗の下で』が発表された。

ラザール(リリアナ)　Liliana Lazar(1972-)フランス語で創作するルーマニア人作家。『解放奴隷の土地』(2009)でフランス語圏五大陸賞をはじめ多くの文学賞を受賞した。

ラハリマナナ(ジャン=リュック)　Jean-Luc Raharimanana(1967-)マダガスカルの作家。詩、小説、劇作など、多方面で創作をつづける。1987年に詩でジャン=ジョセフ・ラベアリヴェロ賞を受け、1998年には短編集『屍衣の下の夢』でマダガスカル文学大賞を受賞した。

ラファイエット夫人　Comtesse de Lafayette(1634-1693)フランスの女性小説家。サロンで早くから令名を得、セビニェ夫人、ラ・フォンテーヌ、ラ・ロシュフーコーら当時最高の文人と親交を結んだ。匿名で刊行された『クレーブの奥方』(1678)は、透徹した心理解剖と端正な構成を持つ古典的散文の傑作で、フランス心理小説の嚆矢として不朽の名を残す。

ラ・フォンテーヌ（ジャン・ド） Jean de La Fontaine（1621-1695）フランスの詩人。モリエール、ラシーヌ、ボアローと親交を結び、彼らとともにルイ14世治下のフランス古典主義文学の黄金時代を築いた。代表作の『寓話詩』（1668-94）は道徳的教訓を動物に託して美しい詩として物語ったもので、人間性のさまざまな面を例示し、当時の社会を風刺している。イソップ、インド寓話をはじめ古代、中世、16世紀の作品から取材、あるいは創作した240編からなる。

ラブレー（フランソワ） François Rabelais（1494頃-1553）フランス・ルネサンスの人文主義者、医師。博学多才な教養を身につけ、人間性を歪《ゆが》めるすべてのものを痛烈に嘲笑し、教会や神学を鋭く批判した。中世の巨人伝説に取材した滑稽と風刺の物語『ガルガンチュアとパンタグリュエルの物語』（全5巻、1532-64）を匿名で発表し、豊富な語法と卓抜な空想力で多くの読者を惹《ひ》きつけた。

ランブリック（ジョルジュ） Georges Lambrichs（1917-1992）フランスの評論家、編集者。ミニュイ社、グラッセ社を経て、1959年からガリマール社の編集者となる。1967年に創刊された『カイエ・デュ・シュマン』誌の編集長を1977年の終刊まで務めた後、『新フランス評論』誌の編集長を1987年まで務める。

ランボー（アルチュール） Arthur Rimbaud（1854-1891）フランスの詩人。早熟の天才でユゴーや高踏派の影響下に詩作を始める。1871年秋、定型詩の傑作「酔いしれた船」を携えパリのヴェルレーヌを訪れ、次いで二人でベルギー、ロンドンなどで同棲生活を送るが、73年7月にヴェルレーヌのランボー狙撃事件で決裂。この前後に心理的自伝ともいわれる散文詩集『地獄の一季節』（1873）や、「見者の詩法」の開花である散文詩集『イリュミナシヨン』（1875）の諸作を書く。1875年以後文学を捨て各地を放浪し、エチオピアの奥地で武器その他の通商にたずさわったのち、1891年にマルセイユで死んだ。

【り】

李白 リー・バイ／り・はく（701-762）中国、盛唐期の詩人。中国最大の詩人の一人。玄宗朝に一時仕えた以外、放浪の一生を送った。好んで酒・月・山を詠《よ》み、道教的幻想に富む作品を残した。詩聖杜甫に対して詩仙とも称される。

リウィウス（ティトス） Titus Livius（BC64-AD12）古代ローマの歴史家。ローマ建国からアウグストゥスの世界統一までの編年体の歴史記述『ローマ建国史』全142巻（現存するのは35巻）を著した。

陸機 りく・き→ルー・チー

【る】

魯迅 ルー・シュン／ろ・じん（1881-1936）中国の小説家、思想家。1902年日本に留学、医学を志したが文学の重要性を痛感し、帰国後、『狂人日記』（1918）で作家として出発。以後代表作『阿Q正伝』（1921-22）をはじめ、多くの小説、随筆、評論を発表し、中国近代文学の祖となった。

陸機 ルー・チー／りく・き（261-303）中国、西晋の文人。対句の多用と華麗な表現で、詩・賦に佳作を残した。「文賦《ぶんのふ》」は賦の様式による文学論として異色。

ルイス（シンクレア） Harry Sinclair Lewis（1885-1951）アメリカの小説家。中西部の田舎町を舞台に、白人男性中心の中流社会の偽善性や俗物性などを風刺した作品を書いた。代表作に『本町通り』（1920）、『バビット』（1922）、『アロースミスの生涯』（1925）など。1930年ノーベル文学賞受賞。

ルイス（ピエール） Pierre Louÿs（1870-1925）フランスの詩人、小説家。若き日のジッド、ヴァレリーと交わり、詩人として注目される。古代ギリシアにあこがれ、官能的なヘレニストとして唯美主義を謳歌。古代女流詩人の名を借りてルイス自身が書き上げた散文叙情詩『ビリティスの唄』（1894）や『詩集』（1916）で名をなす。

ルクリュ（エリゼ） Élisée Reclus（1830-1905）フランスの地理学者。急進的な政治的立場のためにフランスを追放され、イギリス、北米、南米などを遍歴する。帰国後は政治活動や各地の探検をおこなうほか、多数の評論・論文を執筆。地球を有機体とみる『大地』（全2巻、1867-68）をはじめ、自然と人間の結びつきを軸に、多くの図版や地図を駆使して文学的に美しく描写する『新世界地理――土地と人』（全19巻、1875-94）がとくに有名。

ルソー（ジャン＝ジャック） Jean-Jacques Rousseau（1712-1778）フランスの思想家、小説家。スイス生まれ。『学問芸術論』（1750）、

『人間不平等起源論』(1755)、『社会契約論』(1762) といった著作で文明や社会の非人間性を批判、独自の人民主権思想を説いてフランス革命に大きな影響を与えた。

ルーミー(ジャラール・ウッディーン) Djalâl ad-Dîn Rûmî (1207-1273) ペルシアの詩人、神秘主義者。流浪の旅ののちトルコに定住する。代表作である約2万7千句の神秘主義叙事詩『精神的マスナヴィー』(1261頃) は「ペルシア語のコーラン」とも呼ばれる。セマー(旋舞) で知られるメヴレヴィー教団の創始者としても名高い。

ルルフォ(フアン) Juan Rulfo (1918-1986) メキシコの小説家。生涯で残した作品は、短編集『燃える平原』(1953) と長編『ペドロ・パラモ』(1955) の2つだけであるが、後者は現在と過去、死者と生者が自由に交錯するポリフォニックな手法と喚起的な文体で、1960年代以降のラテンアメリカ文学に大きな影響を与えた。

【れ】

レオポルド(アルド) Aldo Leopold (1887-1948) アメリカの生態学者、環境倫理学者。『野生のうたが聞こえる』(1949) など。

【ろ】

魯迅 ろ・じん→ルー・シュン

老子 ろうし(生没年不詳) 中国、春秋戦国時代の思想家。道家思想の開祖とされる人物。儒教の人為的な道徳・学問を否定し、無為自然の道を説いた。実在の人物ではなく、道家学派の形成後にその祖として虚構されたものと考えられる。

老舎 ろう・しゃ→ラオ・シャー

ロション(アレクシ=マリー・ド) Alexis-Marie de Rochon (1741-1817) フランスの天文学者、旅行家。インドへの新航路探索の調査隊に天文学者として参加し、旅行記を残す。

ロートレアモン Lautréamont (1846-1870) フランスの詩人。本名イジドール・デュカス。ウルグアイの首都モンテビデオに生まれる。14歳で単身渡仏し、リセで学んだのち詩作を手がける。散文詩集『マルドロールの歌』(1869) に引きつづき、本名で『ポエジー』(1870) と題する2冊の小冊子を発表したが、いずれも反響を呼ばなかった。第一次世界大戦後、シュルレアリストたちの絶賛を受け、近代詩の偉大な先駆者の一人に数えられる。ル・クレジオはロートレアモンに関する論考をいくつも発表しているが、その一部は『来るべきロートレアモン』（豊崎光一訳、朝日出版社、1980）で読むことができる。

ロス（フィリップ） Philip Roth（1933-2018）アメリカの小説家。ユダヤ系の両親の下に生まれる。英語講師のかたわら雑誌に発表した短編小説を集めて出版した処女作品集『さようならコロンバス』（1959）が全米図書賞に選ばれ、文壇の寵児となる。その後も数多くの作品を発表し、米国を代表する小説家として活躍した。代表作に『ポートノイの不満』（1969）、『アメリカンパストラル』（1997）など。

ロス（ヘンリー） Henry Roth（1906-1995）アメリカの小説家。当時のオーストリア・ハンガリー帝国にユダヤ人の子として生まれたが、7歳のときに両親とともにアメリカに移住、ニューヨークのユダヤ人街で貧しい幼少年時代を過ごした。最初の小説『それを眠りと呼べ』（1934）は、ニューヨーク・ゲットーの日常を、感受性豊かな少年の目を通して、叙情的かつ細密なリアリズムで描いている。この作品は1930年代の埋もれた傑作として、1960年代の著名な批評家、研究者から高く評価された。

ロチ（ピエール） Pierre Loti（1850-1923）フランスの軍人、小説家。海軍兵学校を出て海軍士官となり、南太平洋のポリネシアを振り出しに、イスタンブール、中国、日本、パレスチナなどを歴航、各地で見聞した印象をもとに、官能的で異国趣味的な作品を書いた。代表作に『アジャデ』（1879）、『アフリカ騎兵』（1881）、『お菊さん』（1887）など。

ロドリゲス・デ・モンタルボ（ガルシ） Garci Rodríguez de Montalvo（1450頃-1505頃）セルバンテス『ドン・キホーテ』の原点である騎士道物語『アマディス・デ・カウラ』の作者。詳細な経歴は分かっていない。

ロラン（ロマン） Romain Rolland（1866-1944）フランスの小説家。高等師範学校で歴史を学び、パリ大学では音楽史を講じた。1904年から12年にかけてペギーの『半月手帖』誌に書きつづけてきた大河小説『ジャン・クリストフ』によって一挙に文名を高める。人道主義・理想主義の立場に立った作品を書くとともに、反戦平和運動を推進。1915年ノーベル文学賞受賞。

ロンドン（ジャック） Jack London（1876-1916）アメリカの小説家。無軌道な少年時代ののち、カナダなどを放浪し、カリフォルニア大学に一時期在学、クロンダイク地方のゴールド・ラッシュに加わり、ついで新聞記者となる。マルクスなどに触れ徐々に社会主義に傾倒する一方で創作活動に努め、クロンダイク地方の体験をもとに短編集『狼の子』（1900）で文名を高める。野性をテーマに動物を主人公とした作品や、社会小説を書いた。代表作に『荒野の呼び声』（1903)、『白い牙』（1906）など。

【わ】

ワイルド（オスカー） Oscar Wilde（1854-1900）イギリスの詩人、劇作家、小説家。小説『ドリアン・グレイの肖像』（1891)、戯曲『サロメ』（1893）などをはじめ詩や評論など多彩な文筆活動で名声を得るとともに、芸術至上主義を実践しロンドンの社交界の寵児となったが、1995年に男色事件に関係して投獄される。二年の獄中生活のあいだに、詩「レディング監獄のバラード」（1898)、獄中記『深淵より』（1905）を書く。出獄後はフランスへ移り、貧窮のうちに死んだ。

王維 ワン・ウェイ／おう・い（699頃-761）中国、唐代の詩人、画家。中国自然詩の完成者といわれ、また、水墨を主とした山水画、人物画をよくして、南宗画（文人画）の祖とされる。

【ん】

ンソンデ（ウィルフリード） Wilfried N'Sondé（1968-）コンゴ出身の小説家、音楽家。幼少期にパリへ移住、政治学を修める。小説『一つの大洋、二つの海、三つの大陸』（2018）でアマドゥ・クルマ賞受賞。

想像と記憶

ジム・ジャームッシュの映画『ブロークン・フラワーズ』[65]では、ビル・マーレイ演じる主人公が自分の過去を、というよりむしろ自分の過去の恋人たちを探す旅に出ます。かつての恋人たちがいまどうしているか知り、そのうちのひとりとのあいだにできたと思われる一度も会ったことのない息子を見つけるためです。主人公は旅の途中で出会った放浪青年を、自分の息子だと思い込みます。その青年から「なにか生きる助けになるような言葉はあるか」と訊ねられると、ビル・マーレイは考えてからこう答えます。「過去は死んでいるからつまらない。未来はまだやってきていないのだからどうしようもない。現在にしっかり足をつけていろ。それだけが真実だ」

この忠告はきっと正しいのでしょう。しかし私は作家です。つまり、どこまでも、どうしよ

うもないほどに懐古的《ノスタルジック》な人間なのです。私はこのノスタルジーという感情がどのようなものなのかわかりませんが、あまり明確ではなく、どこかいかがわしいとさえ言える感情ではないかと思います。中国語ではノスタルジーを「秋の感情（乡愁）」と言います。韓国語ではさらに詩的で「水の香り（향수）」です▼66。つまりこの感情は曖昧で、秋の木の葉や水のように移ろいやすいものなのです。もしかすると、ノスタルジーという感情はナルシシズムと同じように（おそらくこのふたつはかけ離れたものではありません）、注意していないと人を出口のない家に閉じ込めてしまうものなのかもしれません。実際、作家は記憶をもとに書いてはいないはずです（ロートレアモン▽が『ポエジー』で表明した信条はまさに「私は回想録を書かないであろう」というものでした）▼67。作者が書くものは、思い出とはそれほど関係がありません。書かれた言葉と、それを生み出した感情のあいだにはあまりに大きな隔たりがあるため、当初の現実はもはやほとんどなにひとつとして残っていないのです。記憶の底から掘り出されたものは、もとの面影をとどめていませんが、これはむしろ幸いなことです。書くというのは、なによりもまず現在の営為なのですから。プルースト▽は、若い頃に過ごしたプチ・ブルジョア的世界の年代記に取りかかったときには、すでにそこから遠く離れたところに身を置いていました。したがってその作品は記憶の営みではなく再創造であり、だからこそ存在を血肉の通ったものとして伝えることができるのです。満州族が支配していた時代を知り、胡同《フートン》が広がる往時の中国を語る老舎《ラオシャー》▽は、

『四世同堂』を書くにあたって、すでに姿を消してしまった世界――ゲルマント家の世界と同じように微小で取るに足らないものですが、作者の存在によってのみ根拠が与えられる世界――のさまざまな光景や曖昧な感情を、現在の表面に浮かび上がらせます。

デビュー以来このかた、私の執筆を養う糧《かて》となってきたものを考えてみると、記憶の占める部分が「空想」――「想像」という言葉より、「幻想」、「妄想」の意味を含んだこの言葉の方がしっくりきます――の部分に比べて大きくなってきたことに気づきます。

二十代の頃、ある文学アンケートでこう答えたのを覚えています。エクリチュールを構成しているのは、個人的記憶が三十パーセント、これまでに読んだ文学からの無意識的借用が二十パーセント、純然たる剽窃が十パーセント、そして四十パーセントが想像の領域だ、というものです。いま自分の創作を総括しなければならないとしたら、想像の領域の比重が大きく減ったと答えるでしょう。一から二パーセントといったところでしょうか。残りはすべて無意識的借用と記憶です。どうしてこのようなことになったのでしょうか。もちろん老化ということがあります。人間というのは、新たな組織が外側に形成されていく樹木と同じで内部から老化していき、皺《しわ》だらけの表面に近いところにもっとも新しい層が形づくられていくのです。この比較をさらに進めて、樹液が樹皮のすぐ下をめぐっているように、人間の生命も外側にある表皮のすぐ下、もっとも若い部分をめぐっている、と言ってもいいかもしれません。文学や芸術を創造する際にあらわれてくるのはこの循環です。硬く結晶化した稠密《ちょうみつ》な深奥部ではないのです。

どうして記憶の比重がこれほどまでに大きくなったのでしょうか？　ジム・ジャームッシュの映画の主人公とは逆で、私は過去に意味がないとは言いません。ただ、いま述べた老化は表面的な現象でしかありません。実際には、歳を重ねるごとに人生の全体から一枚また一枚と覆いが剝ぎ取られ、それまで若さのせいで見えていなかった作品がより明らかになっていきます。プルーストも老舎も、その人生のはじまりから自らの内に作品を宿していて、書きすすめるなかで、徐々にその作品を見出《みいだ》したのだと思います。少しずつ思い出していったのではありません。彼らにとって書くことは、自らの内部に横たわる国を言葉によって出現させながら、その探索を押しすすめていく方法だったのです。

おそらくこれは作家の仕事の大きな逆説のひとつでしょう。言語という記号体系のなかの言葉を用いることで、作家は言語に付随するすべての約束事を、すなわち観念やイメージや感覚の共有を暗黙のうちに受け入れます。おそらく作家であれば誰でも感じたことがあるはずです。

言葉が別の言葉を次々と呼び寄せる魅惑のようなものを。ときとして否応なく言葉に流されたり、言葉のせいで危険な誘惑に陥ったりすることを。そしてもちろん、はじめは難しく思われていたものをうまく言葉にすることができたときの陶酔を。

陸機《ルーヂー》▽の「文賦《ぶんのふ》」の次のような文を読むと、我が意を得たりという気持ちになります。

佇中區以玄覽、頤情志于典墳。（…）然後選義按部、考辭就班。抱景者咸叩、懷響者畢彈。或因枝以振葉、沿波而討源。或本隱以之顯、或求易而得難。

中區《ちゆうく》に佇《たたず》みて以《もつ》て玄覽《げんらん》し、情志《じようし》を典墳《てんぶん》に頤《やしな》ふ。（…）然《しか》る後義《のちぎ》を選びて部《ぶ》を按《あん》じ、辭《じ》を考へて班《はん》に就《つ》く。景《けい》を抱《いだ》く者は咸《みな》叩き、響きを懷《いだ》く者は畢《ことごと》く彈《だん》ず。或《ある》いは枝に因《よ》りて以て葉を振《ふる》ひ、或いは波に沿ひて源《みなもと》を討《たづ》ぬ。或いは隱《いん》に本《もと》づきて以て顯《けん》に之《ゆ》、或いは易《やす》きを求めて難《かた》きを得《う》。

（仏訳からの重訳）

詩人は世界の中心に身を置き
物事の玄義に目を注ぐ。

いにしえの偉大な作品を繙《ひもと》いて
心に浮かぶさまざまな着想を豊かにする。
（…）
それから内容を選んでしかるべき位置に収め
言葉を練って正しく配置する。
形を持つものにはすべて触れ
響きを宿すものはすべて音を出してみる。
ときには枝に応じて葉を払い
ときには波に沿って源流へと遡《さかのぼ》る。
かつては不明瞭に思えたものが
とても単純に見えてくることもある。
当初は易《やさ》しく見えていたものが
難しく思えてくることもある。

小説や詩を書くことは、なによりも土地を認識し体系化する仕事です。だからこそ壮年期が適しているのかもしれません。この仕事には節度と慎み深さが必要なのですから。言語はその負債も恩恵も合わせて引き受けなければならない遺産のようなものです。最初に問題となった想像の領域は、その言語が与えてくれる素材を用いて多かれ少なかれ意識的に作り上げられた構築物として徐々に姿をあらわします。

このことを説明するために、私自身のことをお話しさせてください。

私が生まれた家族は幸運にも、書物を通じた知識と、旅をめぐる複雑な物語の両方を培《つちか》ってきた家族でした。海が家族にとっていかに重要な役割を果たしてきたか、私は子供の頃から知っていました。家族のルーツは海に囲まれたブルターニュ地方ですし、祖先はそのブルターニュ地方からインド洋に浮かぶ島へ移住したのです。私自身が育ったのは、地中海沿岸の街ニースの港のそばでした。子供時代は波止場を探検して過ごしていたのを覚えています。当時の波止場にはトルコや北アフリカ、あるいはアジアからと、世界中からやってきた船が停泊し、さまざまな商品を積み下ろしていました。そのときの光景や匂いは忘れません。アルジェリア産の血のように真っ赤なコルクの包み、魚、角に太綱を巻かれた家畜がクレーンで吊り上げられていることもありました。兄と私は積み荷に囲まれて遊び、ときにはこっそり船にもぐりこんで旅の魅惑を間近で感じたりもしたものです。こうしたすべては私の記憶のなかにあるだけで、いまはもう存在していません。ニースはすっかり娯楽とレジャーの港になり、現在では船から積み下ろされるのは派手な柄シャツとサングラスの観光客だけになってしまいました……。

旅をめぐるもうひとつの想像の領域は、家族の物語が与えてくれました。とりわけ、フランス革命に兵士として参加したあと、ブルターニュの人々が次々と飢えで死んでいった恐怖政治の時代に、妻子を連れて国を離れなければならなくなった祖先の物語です。この祖先によってモーリシャス島は、家族の全歴史がそこに深く根ざす一種の神話的場所、はじまりの島になりました。私はモーリシャス島の思い出のなかで育ちました。父も母もこの島の生まれでしたし、家族と一緒に島から逃げてきた書物や地図、それに貝殻や置物といったものに囲まれていました。祖父や母が語る話に養われ、私の記憶はこうして真実と伝説が入り交じったなかで作られていったのです。さらに、モーリシャス島で最高法院の裁判官をしていた曾祖父が遺した蔵書によって、その記憶は熟成されていきました。曾祖父の蔵書には数多くの旅行記が含まれていました。大部分は十八世紀と十九世紀に書かれたもので、ブーガンヴィル、ロション、ダプレ・ド・マヌヴィレットといった人の手になるものです。マルコ・ポーロの『東方見聞録』もありましたし、『マガザン・ピトレスク』のような旅行日記もありました。ジョゼフ・コンラッド、ピエール・ロチ、ラドヤード・キプリング、ライダー・ハガードといった作家の小説も読むことができました。こういった旅行記と、セルバンテスやバルザックといった古典的文学作品とが渾然となった混合体を通して、私は言葉によって旅をしたい、と思うようになったのです。けれども私がもっとも影響を受けた書物は百科事典、一八五六年に出版され、シャルル・ノディエ、エリゼ・ルクリュといった著名人が執筆者に名を連ねる、全十七巻の『会話・読書辞典』でした。この辞典によって、言葉による旅――私にはそれを地理的な旅と分けて考えることはできません――の嗜好が芽生えたのです。

この形成期を思い返してみると、私の人生にはそのはじまりから、テクストと実経験との遭遇があったということに気づきます。つまり、現実の冒険と想像の領域での冒険の両方をつねに生きてきたのです。両者を明確に区別することが難しかったのはそのためです。一九四七年、七歳の頃に、私は母に連れられて、中央アフリカまで長い船旅をしました。戦争で離ればなれになった父に会うためです。そのとき私は、船室に持ち込んだ一冊のノートに大文字でたどたどしく最初の物語を書きました。「長い旅」というそのままのタイトルの物語です。実際に長い旅でした。そしておそらくは私の人生で唯一の旅だったと思います。当時の私は自分が戻ってくるとは考えていなかったのですから。フランスに残る祖母との別れは胸が引き裂かれるような辛さでした。二度と会うことはないと思っていたのです。こうして私は、どこへ連れて行かれるかわからないまま身を投じることになった旅を小説に書きました。ただその旅は現実とはほとんどつながりのない旅です。現実の旅、それは緩慢さであり、暑さであり、大河から流れ込む水で濁った海であり、けだるさに包まれた植民地港への寄港です。私の小説はそういった現実を無視して、波瀾万丈の冒険や野生の獣が跋扈《ばっこ》する森、嵐、海の怪物を語るものでした。

この最初の作品以来私は、現実の先をいったり現実と食い違ったりするずれのなかでつねに書いている気がします。未来の記憶によって書いているようなものです。私が文学――自分で書く文学と自分が読む文学の両方ですが――のなかに探求しているのは、この予期しない部分、夢想の部分、言葉によってもたらされる幻視の部分です。現実との厳密な対応関係は退屈でしかありません。それが社会的現実主義であれ進歩的現実主義であれ、現実主義の力などというものは信じていません。書物のページをめくりながら私が見出そうとしているのは、現実からこぼれ落ちるものであり、現実に対して前へ飛躍したり脇に一歩退いたりするものです。そういった部分こそが想像の領域と呼べるのだと思います。

李白《リーバイ》▽の「山中問答」には、現実とは異なる場所にいるというこの感覚が描かれています。

問余何意棲碧山
笑而不答心自閑
桃花流水窅然去

別有天地非人間

余《よ》に問う　何の意か碧山《へきざん》に棲《す》むと
笑って答えず　心自《おのず》から閑《かん》なり
桃《とう》花流《かりゅう》水《すい》　窅然《ようぜん》として去る
別に天地の人間《じんかん》に非《あら》ざる有《あ》り

（仏訳からの重訳）
どういうつもりで青い山のなかに暮らしているのかと人は尋ねる。
私は安らかな心のまま、微笑《ほほえ》むだけで答えはしない。
桃の花が水に浮かび、どこかへと流れていく。
ここには人間の世界ではない別の世界があるのだ。

想像の領域とは、現実と記憶から生まれ、感覚と事実を、想起と直観を糧とする世界です。詩仙が千二百年前に言ったように、書くことによって私はこの世界に触れます。六十年ほど前の書きはじめた頃に比べて、いまではこの世界がずっと親しみ深く明瞭なものになっています。

それは、書く経験を通じて感覚が研ぎ澄まされていき、人間的なものとは異なるこの「別の世界」が次第にはっきりとあらわれるようになったからです。自然が、自然のさまざまな要素がいまではますます重要なものに感じられます。言語は、現実生活にかき乱されて見えなくなっている神秘的な部分を、以前よりも表現するようになっています。歴史上の事件がずっと個人的なものとして感じられるようになったのは、自我がすべてを飲み込むほどまで肥大したからではなく、自分のことを生の流れに浮かぶ一細片、山中で李白の心に触れた桃の花弁のように、流されながらも自ら動く一細片として感じているからに他なりません。

一番はじめにお話しした場面に戻りましょう。結局のところ、ジム・ジャームッシュの映画のなかでビル・マーレイが言ったことは間違ってはいないのかもしれません。過去というこの逃れ去り、埋《うず》もれ消え、意のままにできないものは作家を動かしません。未来は苛立《いらだ》たしい謎のまま、誰もそれを解く鍵を持っていません。残るのは現在ですが、それは日常生活の現在ではなく、作者が想像し、形を与え、自分のために作り直した現在です。『失われた時を求めて』の冒頭でプルーストは、作家が置かれている状態をあらわす印象深いイメージを描き出します。作家は眠っている人と重ね合わされ、そのまわりを世界がゆっくりと回っているというものです。過去を夢見ながら、未来を夢見ながら、作家は別の形の現在を作り出します。それは、あらゆる歴史の糸が、流れが、思い出がひとつに縒《よ》り合わされるような現在です。あらゆるものが融《と》け合った、いわば懐胎中のこの素材から、作者は――小説家、詩人、劇作家は――自分だけの新しい要素を引き出すことができます。この要素がプリズムとなり、作者はこのプリズムを通して現実を理解したり、改変したり、現実にリズムと調和を与えたりします。こうしてエクリチュールの流れが作家を未知の場所へと運んでいきます。作家にはそこがどのような場所なのかまったく予想できません。けれどもその場所が目の前に広がると、真実が一点の曇りもなく立ちあらわれてくるのです。これが創作と呼ばれるものです。

（華中科技大学、二〇一五年十一月十日）

自然、文学

自然と文学、このふたつの言葉を並べるのは少々奇異な感じがします。人間についてであれ動物についてであれ、自然状態ほど私たちの現代社会――ヨーロッパ、アフリカ、アメリカ、アジアを問わず――に存在する文化の対極に位置するものはありません。そもそも自然というのは非-文化状態、すなわち生存競争の法則に支配された状態のことでしょう。チャールズ・ダーウィンは、一八五九年に『種の起源』を発表したときには、種の進化を自然の観点からしかとらえていませんでした。他の種との関係において、また、この地球上での生存という文脈において、ある種の誕生や定着や発展に有利に働くものは自然である、というのです。進化論的推論を推し進めれば、現在生存しているもの（かつて生きていたもの、生き残ったもの）はすべて自然である、という自明の理に行き着きます。この状況の下では、人間という種も他の種と同じ身分でこの自然界に生きる存在です。つまり、自らの生存を可能にするものを良いものと見なし、生存を脅かすものを有害と見なすということです。一見すると、このような態度のなかには、道徳律の練り上げや、芸術的形態や超越的存在の想像を可能にするものはありません。

そのうえ、文学（芸術一般）はむしろ、自然とは無関係の場で発展するように思えます。ボードレール▽は、どのような形式であれ詩というものを自然の対極にあると考え、芸術の人工性を自らの存在の基準にさえしています。ボードレールは女性嫌悪のあまり、女性による文学を受け入れません。彼は女性についてこう書いています。「女は自然的である、すなわち厭《いと》うべきものである」▼68 近代バロック期の詩的言語の対極にあるのは「自然な」言語、つまり人間と自然とを結びつける万古不易の絆を示すような現実の言語です。文学において「話し言葉」が生み出される基盤には、人間と自然のこの近接性があります。自然は「良い」ものにも「悪い」ものにもなりえますが、この自然だけが文学の真実性をはかる尺度なのです。ボードレールや象徴主義以降、固有の言語法則によって構築される完璧な芸術という考えは後退し、人間を現実に結びつける民衆芸術、あるいは大衆芸術が急速に台頭しました。映画、ロマン・ヴェリテ（ポール・ボウルズ▽による、テープレコーダーの録音を文字に起こしたような形式の小説）、近いところでは、情報化メディアとの相互作用の進展によって、ジャーナリズムとも近い関係にある、社会問題に正面から立ち向かう文学という新たな考えも生まれました。ヌーヴェル・ヴァーグの映画を受けて、カメラで撮影するように万年筆で書く「スティロ＝カメラ」が語られたのは、それほど遠い昔ではありません。あれは面白い手法でしたが、いまではすっかり時代遅れになってしまいました。

はじめにこのような話をしたのは、文学が明らかにする、人間と自然界との隔たりを強調するためです。文明の黎明期では、自然は文学創造において重要な役割を果たしています。ヨーロッパ、インド、アフリカ、オセアニア、アメリカ、どの地域でも初期の物語は、動物や植物をただのオブジェとしてではなく、人間と冒険をともにする存在として登場させます。パナマのエムベラ族は、火の発見はキツツキがワニから盗んだことに由来するとしています。それゆえに、キツツキには炎のような赤い模様が浮かび、ワニは冷たい獲物を食らうようになったのです。人間に水をもたらしたのも同じキツツキです。キツツキがくちばしでクイポ〔パナマ原産のパンヤ科の樹木〕の巨木を倒すと、その根が水源に、幹が大河に、そして葉叢《はむら》が海の波になったといいます。自然とのつながりは、類似にもとづくただの素朴な置き替えではありません。人間は言語によって、想像力によって、自然を自らの歴史に組み入れるのです。それはどこか、穴居生活をおくっていた人々が、自分たちが殺して食べた動物たちを暗い洞窟の壁面に描き、再創造しようとするのにも似ています。叙事詩の時代でも、自然はまだ人間の営みに重要な影響を及ぼしています。オデュッセウスは火山の噴火口や、海龍が放つ嵐に対峙してからでなければ、自らの運命を成就することはできないのです。古典詩が極端なまでに厳密な規則と普遍的な象徴体系とを両立させるという奇跡を成し遂げるのは、おそらく明、唐、宋といった大王朝時代の中国でしょう。苦悩、裏切られた愛、流謫《るたく》や死別の残酷さを表現するにあたって、詩人は自らの人間的次元を抜け出し、河、山、夜空、樹木、花といった世界のさまざまな姿に仮託して語ります。それはひとつの象徴体系であると同時に、とりわけ人間と人間ならざるものとの調和の探究であり、この調和の探究は、私たちが生きる現代世界では、重要な倫理的意味を持っています。

例えば唐代の張若虚《チャンルオシュイ》▽は「春江花月夜」のなかで、春の景色の美しさを世界の永続性の感覚と結びつけています。

江畔何人初見月
江月何年初照人
人生代代無窮已
江月年年祇相似
不知江月待何人

但見長江送流水

江畔《こうはん》　何人《なんびと》か初めて月を見る
江月《こうげつ》　何《いず》れの年か初めて人を照らす
人生　代代《だいだい》　窮《きわ》まり已《や》むこと無《な》く
江月　年年《ねんねん》　祇《た》だ相似《あいに》たり
知らず　江月　何人をか待つ
但《た》だ見る　長江の流水を送るを

（仏訳からの重訳）
河畔で初めて月を仰いだのは誰だったのだろうか？
この流れに映る月が初めて人の顔を照らしたのはいつだったのだろうか？
世代から世代へと、人間は次々と生まれて終わることはなく、
この河を照らす月の景色は歳々年々変わることがない。
あの空にかかる月が誰を待っているのか知る者はおらず、
人は滔々《とうとう》と流れていく河を見守ることしかできない。

北宋代の詩人蘇軾《スーシー》▽は、「黄州定慧院寓居作」で流謫の孤独と悲嘆を詠むにあたって、自らが生きる現実と、繊細かつ力強い筆致でとらえた自然の情景とを、単なる寓意にとどまることのない巧みさでひとつに溶け合わせます。

缺月掛疏桐　漏斷人初靜
誰見幽人獨往來　縹緲孤鴻影
驚起卻回頭　有恨無人省
揀盡寒枝不肯棲　寂寞沙洲冷

欠月《けつげつ》疏桐《そとう》に掛かり　漏《ろう》断《た》ちて人初めて静かなり
誰か見る幽人《ゆうじん》の独《ひと》り往来するを　縹渺《ひょうびょう》たる孤鴻《ここう》の影
驚起《きょうき》して頭《こうべ》を却回《めぐ》らす　恨み有《あ》れども人の省《し》る無《な》し
寒枝《かんし》を揀《えら》び尽くすも肯《あ》えて棲《す》まず　寂寞《せきばく》として沙洲《さす》冷《すさ》まじ

（仏訳からの重訳）

欠けた月が疎《まば》らな木々に掛かり、
水時計は止まり、誰もが眠っている。
夜のなかを独り歩く流刑者を誰が気に留めるだろう？
寄る辺ない一羽の鶴のおぼろな影が、
不安に駆られて飛び立つと、
未練をたたえたまなざしで振り返り、
止まるところを求めて凍《い》てついて動かない枝をつぶさに試すものの、
どの枝にも止まらず、
さびしい中州で寒さに震えながら、じっと動かずにいる。

中国の詩における哲学的刷新は、人間中心主義の拒否のなかに現れています。人間と自然の合一がなされるのは感覚によってであり、現実をその全体として理解できるほどまで知性を拡張することによってなのです。李白《リーバイ》▽は「独り敬亭山に坐す」（「獨坐敬亭山」）という素晴らしい詩のなかですでにこう書いています。

衆鳥高飛盡

孤雲獨去閒
相看兩不厭
只有敬亭山

衆鳥《しゅうちょう》　高く飛んで尽き
孤雲《こうん》　独《ひと》り去って閑《かん》なり
相看《あいみ》て両《ふた》つながら厭《いと》わざるは
只敬亭山《ただけいていざん》あるのみ

（フランソワ・チェンによる仏訳からの重訳）
鳥の群れは空高く飛び、姿を消し、
最後まで残っていた雲もやがて消えゆき、
こうして長いあいだ相対《あいたい》していると、
ついにはただ敬亭山があるだけになる。

現代の環境学者たちが、アルド・レオポルド▽の言葉「（人間として考えるのではなく）山の身になって考える」を引用して言うことは、この李白の詩と異なってはいません。

ゲーテ▽やノヴァーリス▽といったドイツ・ロマン主義の作家たちは、インドの偉大なテクスト――ヴェーダやウパニシャッドの詩節に由来する『マハーバーラタ』（特にそこに収められている『バガヴァッド・ギーター』）▼[69]――の発見に触発されて、文学と自然とを結びつける密接な関係を直観的に感じ取っていました。こうした「自然の再発見」によって生み出されたもっとも重要な作品が、工業時代が幕を開けた一八五四年に、いわば消え去りつつあるアメリカ最後の「自然な」社会の証言としてソロー▽が書いた長大な散文詩、『ウォールデン――森の生活』です。

我々が本当に滅びつつあるとしても、鐘の響きや子供たちの喚声に耳を澄まそう。毅然としてそれを受け容れよう。なにゆえ我々は身を隠さねばならないのか、なにゆえ流れに押し流されるままにならねばならないのか。（…）張り詰めていた神経を緩め、朝の活力を保ちながら、あらゆるものから離れてはるか遠くへと漕ぎ出し、オデュッセウスのように帆柱に身を縛りつけたまま、別の方を見ていよう。機関車の汽笛が鳴り始めたら、その喉が嗄《か》れて痛くなるまで鳴らせておこう。鐘が鳴ったところで、我々が駆け出す必要などありはしない。

また、エマーソン▽はこう書いています。

頭を穏やかな大気に浸し、無限の空間へともたげると、むなしい利己心はまったく消え失せる。私は澄みきった眼球となる。もうなにものでもない。ただ一切を見る。宇宙の流れが私のなかをめぐる。私は神の一部である。

ソローやエマーソン（そしてイギリス・ロマン主義の大部分の作家）の現代性は、「母なる自然」へと呼びかけることで、自らを取り巻く世界に対して人間が抱くべき愛を表現する点にあります。しかし残念なことにこの愛は、植民地化と工業化という近代におけるふたつの大きな出来事によって裏切られてしまいました。

第一の動き、ヨーロッパから到来した征服者によって引き起こされた植民地化は、自然破壊をもたらしました。スペイン、ポルトガル、さらにはイギリス、フランス、オランダの植民地開拓者にとって、世界は敬意を払うことなくどこまでも際限なく獲得すべきものです。豊穣の《コルヌ・コピ》角《ア》の神話▼70が、この飽くなき貪欲をよく示しています。力によって征服した土地は、天然資源も労働力も無尽蔵です。新世界（メキシコ、ペルー、ブラジル、北米）の征服者たちは、被征服民を徹底的に搾取して奴隷にし、抵抗されることがあれば容赦なく虐殺します。ご存じの通り、アメリカ大陸の先住民の数は百年も経たないうちに六分の一にまで激減し、アフリカや東南アジアでは植民地化が甚大な混乱と経済的衰退の原因になりました。食料も鉱物も森林も、天然資源は歯止めのない略奪の餌食になったのです。この植民地搾取がある意味前提となって、工業化時代がはじまりました。植民地化を推し進める国々は、大量に流入する一次産品で途方もなく豊かになって工業製品の製造に特化し、それらは当然のように獲得した植民地へ売られました。

今日グローバル化と呼ばれている現象は、この連続するふたつの時代の帰結です。現代を特徴づけるのは、貿易の拡大や文化の相互浸透以上に、自然が急激に変化したという認識です。それまで時代の動きと歩みを一《いっ》にしてきた文学は、自然との新たな関係を示さなければなりません。ときには、人間によって作られた新たな自然の到来を示す必要もあります。いびつに歪《ゆが》み、不協和音を立てる人工的な自然、作り出した当の人間たちさえそれを持て余し、そして往々にして怖れています。

もちろん世界を作り直そうというのではありません。ただ、過去の過ちを忘れることはできないものの、その過ちは正すべきです。この認識のもとで文学はどのような役割を果たすことができるでしょうか。より良い生活と、いまや必要不可欠となった調和とを追求するなかで、文学はどのような力を持つのでしょうか。文学は倫理と直接結びついているわけではないとしても、その時代の関心事を反映するものであり、ときとして来たるべき時代を予言するものでもあります。ランボー▽、ヴィクトル・ユゴー▽、ロートレアモン▽、カフカ▽の作品を読むと、現代《モデル》性《ニテ》の到来や大都市がもたらす悪、人々の自由を求める戦い、同時代の法制度に押しつぶされる個人の苦しみなどを感じ取ることができます。

> 私は（…）現代的と信じられている一都会の、つかの間の、たいして不満でもない市民です。（…）道徳も言語も、そのもっとも単純な表現に還元されます。互いに知り合う必要のないこれら幾百万の人々（…）。私は自分の窓から、石炭の分厚い永遠の煙のなかをいくつもの新たな亡霊が転々とうごめくさまを眺める（…）。私たちの甲斐甲斐しい娘にして下女である涙ぬきの〈死〉や、絶望した一つの〈愛〉や、街路の泥のなかでけたたましく鳴く美しい一つの〈罪〉。
>
> （ランボー『イリュミナシオン』より）

しかし、今日問題となるのは、原点への回帰です。人類史における重大な変化のひとつは、おそらく自らを取り巻く世界へ向ける人間のまなざしに関わるでしょう。私自身の経験からもその変化が分かります。これまで私が生きてきた短い時間のなかでも、現代社会は自然に対する功利的な考え方――世界は富と技術の進歩を無限に供給してくれる、というものです――から、自然界の富を使うにあたっては濫費を避けなければならないという考え方に移り変わってきています。ここ六十年ばかりのあいだにも、自然界の貴重な資源は著しく減少しました。森林の伐採、水資源の枯渇、大気汚染、動物の生息圏の縮小。チベット探検を描いた名作『雪豹』の作者ピーター・マシーセン▽は、晩年に発表したとても悲観的なエッセイ『アフリカの沈黙』で、かつてアフリカ大陸にあふれていた象をはじめとする動物たちの絶滅について書いています。けれども問題は動物の生息圏の消滅だけではありません。戦争、飢餓、殺虫剤の過度の使用、森林伐採、単作農業の拡大が、かつては富み栄えていたアフリカ大陸を、絶望の大地に変えてしまったのです。

この問題に対する人類全体を巻き込んだ社会参加《アンガージュマン》に、文学もまた無関心のままではありませんでした。ソローやエマーソンのロマン主義的洞察がきっかけとなって新たな倫理の必要性が、あるいはアメリカの環境学者アルド・レオポルドがかつて『野生のうたが聞こえる』で書いたような、自然保護のための協定の必要性が認識されるようになりました。このような考えはけっして新しいものではありません。むしろその反対です。アメリカやアフリカやオセアニアのいわゆる「自然民族」――土着民や先住民のことですが――は、生存のための節約を本能的に実践していました。自分たちが与えることができる以上のものは大地からも海からも採りませんでしたし、自然を人間の所有物と見なすのではなく、生命の場と見なし、人間はその一部に住まわせてもらっているにすぎないと考えていたのです。この素朴な、しかし単純とはほど遠い世界観から生み出されたのが、記録に残っているなかでもっとも美しいスピーチのひとつ、アメリカ先住民であるルミ族のシアトル首長が、自らの民の土地を連邦政府に託す協定に署名する際にアメリカ合衆国大統領と、知事アイザック・スティーヴンスに向けて語った嘆願です。一八五四年のこのスピーチほど美しい自然賛歌はありません。私の願いは、このスピーチがあらゆる言語に訳され、学校で子供たちに読まれるようになることです。少し引用します。

あなた方は自分の子供たちに、足下の大地はわれわれの祖父母の灰でできていることを教えなければならない。あなた方の子供たちが大地を敬うよう、大地はわれわれの民の生命で満ち満ちていると語りなさい。われわれが自分の子供たちに教えるように、あなた方も自分の子供たちに、大地はわれらの母であると教えなさい。大地に起こることは、大地の息子たちにも起こる。人間が大地に唾を吐くとき、人間は自分自身に唾を吐いているのだ。

われわれは知っている。大地が人間に属しているのではなく、人間が大地に属していることを。われわれは知っている。ありとあらゆるものがつながっており、それは血が家族をひとつに結びつけるようなものであることを。ありとあらゆるものがつながっているのだ。(…)

赤肌の人間〔アメリカ先住民〕の最後のひとりがこの大地から姿を消し、その思い出さえもが平原をわたる雲の影にすぎなくなっても、この汀《みぎわ》や森にはわが民の霊たちがなおも宿っているだろう。赤子が母の胸の鼓動を慕うように、霊たちはこの大地を慕っているからだ。したがって、われわれがわれわれの大地をあなた方に売ったら、われわれが愛したように、あなた方も大地を愛しなさい。われわれが大切にしたように、あなた方も大地を大切にしなさい。▼[71]

こうした偉大な先駆者たちが、新たな文学の道を開いてくれます。あらゆるものが過剰な現代という時代を、思想と芸術が花開いて人間主義《ヒューマニズム》が確立した理想の時代と結びつけてくれるのです。先ほど私は、イランやメソポタミア、中国、地中海世界における文学という芸術の始まりについてお話ししました。ただ、見誤らないようにしなければならないのは、そうした遠い時代の作品も、現代文明に見られるような残酷さと無縁だったわけではないということです。

平和と正義が支配する時代とは比較にならないほど飢饉や略奪にさらされた状況のなかで、人身御供や奴隷制度があり、凄惨な戦争が繰り返されていました。十万以上の対句からなる長大な物語『マハーバーラタ』には、聖書や『オデュッセイア』と同じく、ありとあらゆる犯罪が描かれています。ご存じのように、孔子▽や老子▽や墨子▽の卓越した思想書は、中国各地でおびただしい死者を出した戦乱と混乱の時代に書かれました。しかしこうした偉大なテクストが現代の文学作品と異なるのは、人間とその世界とをつなぐ強固な絆を持っている点です。その結びつきは自明であって、わざわざ明示されることはありません。神々への服従のなかに生き、自然の圧倒的な力を前にただ驚嘆するしかなかったため、強者もその所有欲を募らせることはなく、深い思慮をもって行動するのです。いまでは失われてしまったこの調和は、インディオ文明の最後の証言――メキシコでアステカ族が残した『フィレンツェ絵文書[72]』やプレペチャ族が残した『ミチョアカン報告書[73]』、あるいはペルーでインカ・ガルシラーソ・デ・ラ・ベガ▽が残した文書[74]――に見ることができます。スペイン人征服者の到来は、インディオにとっては政治的破局である前に、生態環境や衛生環境の壊滅でした。ミチョアカン王国の生き残りの人々の証言を記録した『ミチョアカン報告書』には、征服者たちの黄金に対する貪欲さが、素朴でありながら胸を打つ言葉でこう語られています。「なぜあの人たちはあんなに黄金を欲しがるのだろう？　きっと黄金を食べるに違いない、だからあんなに欲しがるのだ」

今日の文学は、こういった悲惨な経験を踏まえて、自然から触発されたテーマをふたたび取り上げるようになっています。問題となるのはもちろん、失われた無垢を取り戻すことなどではありえません。ノスタルジーという、ナルシシズムに通ずる怪しげな感情などでもありえません。私たちが生きている世界は、かけがえのない唯一の世界です。書き残し、目録を作り、深く理解しなければならない世界です。そのための手段はひとつではなく、声の数と同じだけ無数にあります。動物たちが言葉を話していた時代ははるか遠くに過ぎ去ってしまいました（そもそもそのような時代が本当に存在したのでしょうか）。私たちを取り巻く現代の自然はもはや、西方を目指す壮大な旅の舞台となった自然でも、オデュッセウスが自己を求めて遍歴した自然でもありません。それは暴力的で不完全な都市の自然です。しかし私たちの時代は、苦痛と矛盾のなかで新しい世界を産み出しているのです。

　現代の素晴らしいところは、新たな空間が開かれ、あらゆる出会いと発見が可能になっていることです。文学も例外ではありません。私は韓国の現代小説を読みます。中国の最近の詩を読みます。ウォロフ語やイボ語といった、アフリカのいままで知らなかった言語で書かれた作品を、チヌア・アチェベ▽の詩を、アミナタ・ソー・ファル▽の小説を読みます。私はルベン・ダリオ▽、オクタヴィオ・パス▽、ガブリエラ・ミストラル▽といったラテンアメリカの大作家を知り、ファン・ルルフォ▽の魔術と現実が渾然となった小説や、その後継者であるガルシア・マルケス▽を見出します。私の前に莫言《モーイエン》▽の想像力が生み出す広大で深遠な世界が広がり、故郷の高密市の荒々しくも肥沃な大地からやってくる歌が聞こえてきます。私の耳には、さまざまな苦難を乗り越えて、シャーマン・アレクシー▽やスコット・モマディ▽といった新しいアメリカ先住民族の声が、余華《ユイホア》▽や畢飛宇《ビーフェイユイ》▽といった中国の作家の声が届いてきます。そういったときに、新たな自然が私に示されるのです。私を豊かにし、地上の人間の生命の未来に対する希望を与えてくれるのです。これらさまざまな声は、皮肉や嘲弄だったり称揚だったりと、それぞれやり方は異なっていますが、いずれもこの世界の美しさを――誰であろうと、どこに生まれようと、私たち誰もがみな強い絆で結ばれているこの世界の美しさを語っています。そのはかない美しさは、アルド・レオポルドがアスファルトの道で探していたパスケ（セイヨウオキナグサ）の花のようなものです。書物の言葉はただの雑音にとどまるものではありません。一過性の流行や、鏡に映る自分をうっとり眺める自己陶酔だけを示すものでもありません。それは同時に、私たちの時代の戦いである生きるための戦いに力を与えてくれるものでもあるのです。その無数の言葉は声を合わせてひとつの大きな歌となり、池のほとりにひそむ蛙の合唱のように、屋根のうえにすだく蟬の音のように、倦《う》むことなくいつまでも響きます。それは、この地球上のあらゆる場所から届いてくる、生の冒険のための歌なのです。

（揚州大学、二〇一六年五月二十七日）

文学のいま

本日は文学というものを、盤石な土台に築かれた堅牢なモニュメントとしてではなく、つねに動きつづけ柔軟に形を変える定義不可能なものとしてお話ししようと思います。このような印象を抱くようになったのは、出版前の原稿を読むという経験を長くつづけていたからです。生活のためにパリのある出版社で原稿審査委員をしていた時代——まだ原稿がＰＤＦファイルの形で送られてこなかった時代のことです。かつて同じく原稿審査委員をしていた、詩人・小説家のレーモン・クノー▽はいつも、自分はこの仕事のおかげで「未発表作品というすばらしい文化」の恩恵に浴している、と語っていました。私は、つねに動きつづける文学、という定義がかなり気に入っています。文学について私がいま考えていることと一致しているからです。

たしかにこの定義は、なにもかもが移ろいやすく刹那的で、はかなくもある現代という時代にぴったりと合致しています。過去の時代における文学は、現代のようには人々に浸透していませんでした。文学とは書斎のひっそりとした暗がりで営まれるもの、静寂と内省のなかで形作られるもの、どこか厳粛で思慮深い性質を備えていて、尊敬の念を抱かざるをえないものでした。そのことは、古典的作家が暮らしていた家宅を訪れるだけでよくわかります。不朽の名作『水滸伝』を著した大作家、施耐庵《シーナイアン》▽の住居がいまの私たちの心を奪うのは、場所と創作者とが目に見えない形で深く通じ合っていることを示してくれるからです。住まいは調和に満ちていて、作家の居室は樹木や庭石が配置された中庭に面し、季節の移ろいや、まわりで営まれる穏やかな生活のリズムや、すべてを包み込んで見守っている自然の存在を感じることができます。もちろん、過去の作家が誰でもこのような快適さを享受していたわけではありません。詩人の李白《リーバイ》▽などはある意味で私たちに近いでしょう。李白は波乱の生涯を送り、酒と漂泊のなかで詩想を得て、伝えられるところによると、ある有力者に会うようにとの勧めを断るためだけにでも即興で詩を作ることができたそうです。また、中世の詩人フランソワ・ヴィヨン▽は獄中で作品を書きましたし、あの偉大なセルバンテス▽は作家になる前は王侯たちに仕えて口すぎをしていました。

先ほどお話しした出版社での原稿審査委員の仕事を通して私は、謙虚さが必要であること教えられました。長編小説でも短編小説でも詩でもエッセイでも、出版された作品と、印刷される機会に恵まれなかったその他すべての作品とを分かつのは、わずか髪の毛一本ほどの差でしかありません。たまたまその委員が虫の居所が悪かったり、先入観にとらわれていたり、あるいは嫉妬にかられたりするかもしれません。そういった些細なことで、ある作品が質の良し悪しとは関係なく闇に葬られてしまうこともあるのです。原稿は日の目を見ることなく、いくつもの出版社のあいだを人知れず漂いながら、角が折られたり、審査委員の指の跡や、コーヒーやワインや水の染みで汚れたりしたページばかりが増えていきます。なによりも、しっかりと染みついた煙草の匂いは、その原稿が誰にも認められないまま出版社から出版社へ、審査委員から審査委員へと彷徨《さまよ》ってきたことを隠しようもなく示しています。

ここで思い出していただきたいのは、ある若い作家——名前をマルセル・プルースト▽といいました——の最初の原稿、『失われた時を求めて』の第一巻『スワン家の方へ』がたどった運命です。この原稿は『新フランス評論』に送られたものの、出版を拒否されました。いまでも誰がこの原稿に対して「読みにくい（illisible）」と評するコメントを書いたのかわかっていません。プルーストは自費出版の形でグラッセ社から初版を出さなければなりませんでした。のちにジッド▽は、出版拒否が誤りだったと謝罪しましたが、一歩まちがえばこの誤りが取り返しのつかないことになっていたかもしれません。というのも、作家というのは傷つきやすい存在で、ちょっとしたことに落胆して書く気力を失ってしまうからです。

さらに印象的なのは、イジドール・デュカス▽の例です。ロートレアモン伯爵▽の名で長大な散文詩『マルドロールの歌』を書いた二十二歳のこの若者は、さまざまな出版社に原稿を持ち込みましたがうまくいかず、結局あきらめて一八六八年にベルギーの出版社バリトゥからやはり自費出版をしました。若者は自分の本をヴィクトル・ユゴー▽はじめ、当時のフランス文学界の著名人に手当たり次第送ったものの、もちろん誰からも返事はありませんでした。それから百年も経たないうちに、その同じ作品が先進的な文学の重要な鍵となり、シュルレアリスムの作家や精神分析家、さらには当時の文学でもっとも冒険的な作家であるジェームズ・ジョイス▽（およびその後継者であるサミュエル・ベケット▽）にまで多大な影響を与えることになったのです。イジドール・デュカスがいなかったら、文芸批評は私たちが今日知っているのとは違うものになっていたかもしれませんし、文学作品は古典回帰の流れに引きずり込まれてしまっていたかもしれません。文学創造という営みがよどみなくつづいていくためには、滑稽なまでに暴力的で偶像破壊的な作品が折に触れて現れることが必要なのです。

「未発表作品の文化」に話を戻しましょう。アメリカの作家ウィリアム・スタイロン▽と一緒に原稿審査委員の仕事をしているあいだ、私はたくさんの原稿を読みましたが、正直なところ、その大部分は出版に値しないものでした。ウィリアム・スタイロンはその仕事をしているとき、どの原稿を読んでも同じような物語がいつも同じように自信満々に語られるのですっかり嫌気がさしてしまい、原稿の匂いを嗅いでその匂いが気に入らなければゴミ箱に投げ捨てることにしていた、という話をどこかで耳にしたのを覚えています。私自身はそのような方法に頼りませんでしたが、おそらくそんな極端なことをしなければならなくなるほど長期にわたってその仕事をつづけなかったからでしょう。

むしろ私は、審査員として読んだいくつかの原稿が忘れられません。それらの作品は採用にはいたらなかったものの、出版された凡百の本よりもずっと鮮明に記憶に残っています。なかでも特に印象的だったのは、あるモーリシャス人が書いたものです（私はモーリシャス島のジャン＝ファンシェット賞の審査員を務めています。この賞は未発表作品に出版助成で報いるもので、若い作家にとっては最高の文学賞です）。それは『黒い潮』▼75という小説でした。このタイトルは、タンカーからの重油流出ではなく、ブラック・ムーンという天体現象によって引き起こされる潮汐を意味しています（ほんの数週間前に中国の空にも同じような月が出ていたと思います。もちろん目には見えませんでしたが）。作品は一人称の語りによって、愛を求めてむなしくさまよう盲目の男の混沌として暴力に満ちた人生へと読者を引き入れるもので、のちに私は同じテーマを畢飛宇《ビーフェイユィ》

▽の『ブラインド・マッサージ』というすばらしい小説のなかに見出《みいだ》しました。あの原稿を読んだ経験をけっして忘れることはないでしょう。出版されることのなかった作品が、私のなかに消えることのない記憶を刻みこんだのです。それは私にとっては、実際の読者がどれほど少なくても、ある意味で現代のフランス語文学の一部と言えるものです。私は文学を広大な海としてとらえる考え方が好きです。その海では出版されたものであろうと未発表のものであろうと、それぞれの本が波間に浮かぶ瓶のようなもので、風や海流にあてもなく運ばれていき、そのメッセージをときとして世界の彼方に、時代の彼方にまで届けるのです。

そう、まさに広大な海です。今日における文学は、フランスでも中国でも日本でもラテンアメリカでも、無限とも言えるはかり知れない広がりを持ち、刻一刻と作られては解体し、そしてまた別の形をとります。というのも、ロラン・バルト▽が述べているように、今日においては言語が単なるコミュニケーションの手段にとどまることなく、現代人の「自然」になっているからです。

フランスでも中国でも日本でもアメリカでも、いまの時代を特徴づけているのは、文学の（とりわけ芸術の、そして文化全般の）途方もない柔軟性です。これには社会的・技術的ないくつもの要因があります。コミュニケーションが極度にまで発達したことにより、文化一般に対する文学の貢献の仕方も、知的コミュニティ（かつては「世間」という漠然とした呼び名がつけられていました）に対して個々人が取り結ぶ関係も大きく変化したのです。

今日において文学は、大多数の人々の手に届くものとなっています。しかし昔はそうではありませんでした。百年前のフランスで小説を読んでいたのは誰だったでしょうか。たしかに広く一般に知られている小説はありました。イギリスならディケンズ▽の『デイヴィッド・コパフィールド』、フランスならユゴーの『レ・ミゼラブル』といったものです。しかしそれは往々にしてダイジェスト版や何枚かの挿絵、あるいは舞台版で知られていたにすぎません。中国においても、曹雪芹《ツアオシユエチン》▽の時代を考えてみれば、『紅楼夢』を読むことができたのは、作者が読者として想定していた少数の人たちであったことは明らかです。貴族階級に属していない人たちや、首都から遠く離れたところに暮らす人たちにとっては、賈《か》一族の運命などなんの重要性も持っていませんでした。

他方、インターネットによるコミュニケーションのおかげで、文学作品は国境を越えて広く発信されるようになっています。これは明らかに文学的言語の持つ意味を大きく変えます。一九七〇年代に生まれた文学分析理論の数々は、このような意味の拡大が起こる以前のものであることに注意しなければなりません（それは現代のようなコンピュータがまだ発明されていない時代に生みだされたのです）。それらの理論は言語の定住性と意味の不動性を基盤としていますが、今日ではそういったものに疑問が投げかけられています。現代の意味論研究者が用いている規範や逸脱といった概念は、かつてと同じ意味を持っていません。規範というのはもはや特定の過去を参照するものではなく、逸脱も固定化された意味との関わりで語られるものではありません。

実際、今日において文学が私の関心を惹《ひ》くのは、あらゆる芸術のなかでおそらく文学こそが、世界の新しい秩序をもっとも力強く、そして説得力をもって伝えることができるからです。いまの若い作家は、たとえ曹雪芹やドストエフスキーやゾラといったリアリズムの遺産を注意深く読んだとしても（そうあってほしいものですが）、その遺産を新たなコミュニケーションの技法に適応させる必要があります。それはなにも万年筆（あるいは筆）の使用をやめるということではありません。私を含めた少数の作家は、相変わらず紙のざらざらした手触りや書いたばかりのインクの匂いに心奪われてはいますが、結局のところコンピュータの画面も、古代の巻物やアコーデオン状に折りたたんだ紙束と本質的な違いはないのです。そうではなく、たとえ前時代の道具を使いつづけても、作家の想像力や精神構造は、書く行為の準備段階としての批評や、時代に即した新たな人間性との調和（調和というのは批判の欠如を意味するものではありません）を通して、現代の世界に適応しなければならないということです。別の言い方をすれば、現代の作家はバルトが定式化したことをさらに推し進め、個人のなかにある、個人を超えた大きなアイデンティティを構成しているすべての部分に対して意識的にならなければならないということです。

抽象的な話がつづいたので、いくつか具体例を挙げましょう。ふたつの世界大戦を経て、フランスでは「engagée」、英語では「committed」と形容される、明確な社会意識を持った文学が生まれました。切迫した状況に直面した作家は、もはやジッドやバタイユ▽のような個人主義的な視点に安住していることはできません。カミュ▽はこの社会参加《アンガージュマン》を自らの存在理由とし、「実践《プラクシス》」の哲学者であるサルトル▽は言葉のなかに人間のもっとも重要な部分を見て次のように言います。「ひとりの人間は他のすべての人間によって作られており、みんなと同じだけの価値があるし、誰であろうとその人間と同じだけの価値がある」▼76たび重なる戦争、そして植民地支配からの解放につづく闘争の時代には、社会革命が文学表現の中心でした。この革命が強い説得力をもって人々の心に響いたのは、東洋とラテンアメリカにおいてでした。私の念頭にあるのは巴金《パージン》▽であり、さらにはジルベルト・フレイレ▽、エルネスト・サバト▽であり、周縁に位置するすぐれた作家のホセ・マリア・アルゲダス▽やフリオ・コルタサル▽であり、そして『炎の記憶』の作者でつい最近亡くなったエドゥアルド・ガレアーノ▽です。

しかし、こうした作家たちが私たちの文学概念を変えたのは、その思想によってというよりはむしろその言語そのものによってです。今日では、ペルーに生まれた白人でありながら自らのアイデンティティをインディオのなかに見出したホセ・マリア・アルゲダスの作品や、ファン・ルルフォの『ペドロ・パラモ』（ガルシア・マルケスの『百年の孤独』のモデルになった作品です）に見られるような暴力に満ちた元型的な想像世界に立ち返ることなしには、知識人と大衆の断絶について語ることはできません。

それがラテンアメリカであっても中国であっても、あるいは経済危機とアイデンティティの危機に直面したヨーロッパであっても、生まれつつあるこれからの文学は、お話ししたような最近のモデルを参考にしながら自らを作り直す必要があります。ただしその場合も、もはや連続した一本の線としての進化をたどるのではなく、非論理的で予測不能な形で想起される思い出の数々のように、それぞれが描く線分が他の線分と繋がることなく独立した非直線的進化をたどるのです。

バルトがとなえた言語とざわめきの類似、すなわち言語と鳥たちのさえずりや海の響きといった自然界の音との重ね合わせに立ち戻りましょう。今日の作家は、どこで暮らしているか、どのような教育を受け、どのような伝統を受け継いでいるかに関わりなく、この言語のざわめきのなかに、自分が口にしたり耳にしたりしている別の言語を加えなければなりません。とは言っても、加えなければならないのはその技巧的側面ではなく、そうした言語の内にあってその言語を他から区別し、構造化し、現実のものとしている要素です。これは単なる語彙の問題ではありません。フランスではしばしば、普通に使っているフランス語のなかに新語が入り込んでくることを、まるで幹細胞を破壊する危険なウィルスであるかのように激しく拒絶する声を耳にします。こういった新語は大部分が英語由来で、新技術に関わるものがほとんどですが、それだけにはとどまりません。最近になって気がついたことですが、感情をあらわす語彙のなかに、少し前まではなかった言葉が入ってきて、以前からあった言葉の代わりに使用されるようになっています。ジャーナリズムの世界では、「共感」と言うときに使われるのはもはや「sympathie」▼77（ギリシア語の「共に苦しむ」に由来する語）ではなく、「empathie」です（英語のempowermentに倣《なら》って作られた語。empowerという英語も、近い将来「empouvoir」のような形でフランス語に入ってくるはずです）。「sympathie」も「empathie」も同じ感情を表している以上、これのどこがいけないのでしょうか。このような混淆、混血（「混血 metissage」という言葉はそもそもローマ化したガリア人によって作られたもので、ガリア東部のさまざまな民族が入り混じる町のメス[Metz]という名もここに由来しています）は、ある言語が生き生きと活動している証ではないでしょうか。しかし重要なのは、語彙の問題ではありません。作家ひとりひとりが今日において抱いている認識――個人的であると同時に普遍的である糸を一本ずつ持ち寄りながら、協同して一枚の布を織り上げる作業に参加しているという認識こそが重要なのです。

先ほど私は文学という広大な海についてお話ししました。そこではいずれの部分も等しく重要で、全体にとって欠かすことができません。ちょうど曹雪芹が語る伝説の、天を形作るひとつひとつの石のようなものです。▼78 フランスの最近の文学で私が関心を持っているのは、過去の大作家たちがすでに試みたことを引き継ぐものではありません。すでに大作家によって作り出されたのと同じものを、大作家ほどの力量などないのに繰り返したところでなにになるというのでしょう。私が惹きつけられる文学は、いまという時代の現実の諸相を、私たちが抱いている不安を、私たちを支える希望を表現しようと、差し迫った必要性のなかで生み出された文学です。戦争、不寛容、人種差別、蒙昧主義が、崩れ落ちた人間主義《ヒューマニズム》の残骸の上にふたたび台頭しつつある現代世界を語る文学です。文学が書かれるのは、もはやパリのカルチエ・ラタン一帯だけではありません。アフリカやマグレブ、東欧、あるいはフランス国内でも忘れられた区域――見捨てられ荒廃するままになり、世界の果てにあるかのように文化から隔絶された郊外――、オセアニアの島々、トランシルヴァニアの山中、文学はこういった新たな沃土《よくど》で生み出されるのです。いま挙げた場所は、意味もなく引き合いに出したのではありません。バヌアツでは、メルテロロン▽という小説家が、自分と血を分けたカナック族の兄弟たちが投獄されている刑務所について書いていますし、ルーマニア人女性のリリアナ・ラザール▽は『解放奴隷の土地』というすばらしい小説で、チャウシェスク独裁時代に虐《しいた》げられていた農民たちの生活を描いています。

こうした作家たちが、作品を執筆するにあたって外国語であるフランス語を選んでくれたことで、私は誇りと幸福の念に満たされます。これは、彼らが過去に対する復讐の段階を乗り越えて、自らの自由を作り出していることを意味しているからです。彼らにとっての真の祖国は文学なのです。それは、一族の揺籃《ようらん》の地であるインド洋の小国モーリシャスと、そしてその言語と文化で私を育んでくれたフランス、双方の市民である私にとっても、おそらく文学こそが真の祖国であるのと同じです。

私たちがどのような土地を選び、どのような言語を選んだにしても、私たちがいま文学に期待できるのは次のようなことだろうと思います。すなわち、文学は心理的・地理的な境界を越えて人間存在の総体を表現し、特権も偏見もない平等な関係が築かれるような新しい世界、これまでの世界よりも確実に良い世界を作り出すのだ、ということです。もちろん現時点ではそのような状況には至っていません。それは紛れもない事実です。これまで文学は悲劇的な時代を幾度となく生き延びてきました。私が生まれた戦争の時代には、何百万という人間が見かけ倒しの空疎な思想を振りかざして殺し合いをつづけました。その後の脱植民地化の時代には、独立運動の大きなうねりに逆らって、人々は自らの特権を守るのに血眼になりました。今日、フランスやヨーロッパ、そして世界のほとんどすべての場所で、文学は過激主義者の暴力にとどまらず、利己主義や無関心の暴力を前に機能不全の状態にあります。私には文学に道徳的役割があるかどうかわかりません。どちらかと言えばかつてオスカー・ワイルドが『ドリアン・グレイの肖像』の序文で述べていたような、文学とはなによりも無用な完璧さを追求するものだ、という考えに傾いています。しかし文学が持つ青臭くも若々しい力は、私たちが騒擾《そうじょう》のさなかにあって警戒を怠《おこた》らず、気を張り詰めたまま生きつづけることを可能にする手立てのひとつです。私たちが願うべきこと、祈るべきこと、望むべきこと、それは文学というものが、紙に書かれた形によってでも、インターネットによってでも、歌や身振りによってでも、とにかくありとあらゆる手段を用いてこれからも存続し、私たちの目と心を開いて、呼吸したり成長したり愛したりする助けとなり、未来へとつづく道をかつてと同じように今日においても示してくれることです。

（黒竜江大学、二〇一六年十月二十二日）

夢見ること、冒険を探すこと

夢見る自由、という表現はどこか同語反復《トートロジー》を思わせます。夢とは、生がもっとも自由に表出したものなのですから。夢は、礼節や社会の掟、さらにはさまざまな要請をともなう日々の言語活動とは対照的に、理性による制御の外側に位置するように見えます。けれどもこの自由は恐ろしいものです。他者の入り込む余地がないからです。それゆえに、夢の探索は困難をきわめ、それを解釈しようとしても不確かなものにならざるをえません。社会はこれまでずっと夢を禁じ、隠蔽しようとしてきました。夢は自由です。けれども沈黙の牢獄に押し込まれ、記憶の奥底に封印されています。その秘められた炎を、芸術家は明るみに引き出そうとしなければなりません。現代科学もまたこの探求に無関心ではなく、物理学や天文学のいくつかの分野では、すでに夢の領域に触れるところまできています。

フランスにおいて夢の物語が明確な形を取るのは一八六七年、ウルグアイ出身の無名の青年イジドール・デュカス▽——青年はまだ「ロートレアモン伯爵▽」になっていません——がパリのヴィヴィエンヌ通り、国立図書館からほど近い安ホテルに身を寄せながら、言葉の狂乱のようなものに取り憑《つ》かれ『マルドロールの歌』の第一歌を書いたときです。三年後、さらに五歌を加えて自費で刊行したあと、普仏戦争が勃発した一八七〇年に、青年はパリの孤独と困窮のなか二十四歳で生涯を終えます。残された書物は夢の物語であり、世界の文学においてもっとも過激で不安をかき立てるもののひとつです。この比類ない作品の衝撃波は、作者の死後ようやく人々のもとに届くことになるでしょう。それは、音もなく爆発した新星の輝きが長い時間をかけて私たちのもとに届くのと似ています。

問題となるのは起源への回帰です。夢見る自由とは、原史社会▼79における自由です（これは人類学者のクロード・レヴィ＝ストロースによる定義です）。近代社会に生まれて原史社会を訪れた初期の旅行家——オセアニア、南米、赤道アフリカへの探検家のことですが——の記述によると、その社会の人間は夢の影響下に生きています。それは呪術の影響であり、円環的時間の観念であり、人間が神々と一体化する可能性といったものです。こういった世界に暮らす人々にとって夢は、肉体から抜け出し、あの世を認識したり、未来を見通したりすることを可能にする旅にほかなりません。新世界を訪れた初期のスペイン人年代記作家たちは、現在と未来とが渾然と溶け合い、聖なるものと日常が密接に結ばれたこの社会体制の証人として、「夢見る人々」の社会の最後の瞬間に立ち会い、その奇妙な儀式や人身御供について書き残しています。なかでもとりわけ印象的なのは、メキシコの古代アステカ人によるイシュネシュテイワ（「冒険を探す」の意）と呼ばれる祭です。▼80 サアグン神父は▽『ヌエバ・エスパーニャ事物全史』で次のように報告しています。「人々によると、この祭のあいだはすべての神々が踊りにやってくるため、踊る人々もさまざまなものに変装して踊るということである。ある者は鳥に、ある者は動物に変装し、ある者は蜂鳥に、ある者は蝶に、ある者は蜂に、ある者は蠅に、ある者は黄金虫《こがねむし》になる。なかには、眠り込んだ男を背負い、これは夢の神だ、と言う者もいる……」

　その後、ヨーロッパやアジアから乗り込んできた近代世界が合理主義の名のもとに破壊しようと躍起になるのが、この呪術的社会です。呪術に浸された土地の征服者たちにとって、夢見る人々の社会は遅れており、近代の生産性と合目的性に組み込むためには、その社会を現実の次元のみに単純化しなければなりません。それを担うのが、ルネサンス精神を代弁する哲学や宗教です。人文主義《ユマニスム》はそのはじまり（大航海時代である十六世紀）においては、科学に対する絶対的信頼を基盤としており、人間精神の得体の知れない暗い面を断罪するものでした。新しき人を確立するためには、夢や妄想に生きる古き人を殺す必要があるのです。ヨーロッパでは、ルネサンスと呼ばれる新時代は絶対主義の時代です。スペインではカール五世、イギリスではヘンリー八世、フランスではフランソワ一世が、現実や軍事力や財力の優位を確立します。奇妙なことに、夢の領域がもっとも拡大したのは絶対的政治権力がヨーロッパを掌握していた時代——植民地支配と奴隷貿易がはじまった時代です。フランスのルイ十四世の治世は同時にまた魔女裁判の時代でもあり、スペインのバロックの時代は異端審問と焚刑の時代でした。夢の領域とは、人間の相対性の認識であり、人生の短さや愛のはかなさの意識です。おそらくフランシスコ・デ・ケベード▽の詩をご存じでしょう。

昨日は去りゆき、明日はいまだ来たらず
今日はすでに去り、名残ひとつとどめず
この身は「かくありき」と「かくあらん」の狭間で憔悴した「かくある」にすぎぬ

バロックとは文化史上の一時期を指すにとどまりません。それは、人間の夜の部分、夢への嗜好が表出したものです。フランシスコ・デ・ケベードの詩に先立つこと百年、滅びつつあるメキシコの土着世界で、詩人でありアステカ三国同盟のひとつテスココ王国の支配者でもあるネサワルコヨトル▽は、同じ悲しみをテーマに歌っています。それはまた、中国の哀歌詩人（李《リー》白《バイ》▽、王維《ワンウエイ》▽）や、ノヴァーリス▽をはじめとするドイツ前ロマン派の詩人とも共通するテーマで、幸福の脆《もろ》さ、青春や愛のはかなさ、免れえない死といったものです。

花々を纏《まと》え
ここなる大地の上で身を飾れ
それがかなうはここのみ
ただしばしの間のみ
花々を汝《なんじ》に与えるは
ただしばしの間のみ
花々はすでに黄泉《よみ》の住処《すみか》へ運ばれたり
肉落ちし者らの住処へと

バロックの詩は夢見る権利を肯定し、古《いにしえ》にさかのぼる創造と想像の結びつきを肯定します。そしてロマン主義の時代になると、自由への欲求と要求が、未知の探索と冒険の必要性が表現されるようになります。

ヨーロッパとメキシコで生まれたシュルレアリスム運動は、ブルトン▽の言葉、「夢とは鏡と閃光を身にまとった暴君だ」が端的にあらわしているように、夢見る権利を土台として打ち立てられていました。シュルレアリストたちにとって重要なのは、形而下のものと形而上のものとを同時に包含する全的な経験、それを経たあとでは人間そのものが一変するはずの全的な経験です。それは、価値の転倒が問題となるがゆえに、まさに革命なのです。「想像力のみが、ありうることを私に教えてくれる。それだけでも、恐ろしい禁令を少しでも取り除くのに充分だ。そしてまた、まちがえるのではないかという不安もなしに私が想像力に身をゆだねるのに充分だ。(…)精神にとっては、誤りを犯す可能性はむしろ善の偶然性なのではあるまいか?」(『シュルレアリスム宣言』、一九二四年)。

幻視や夢を通じて自らを探究する自由には危険がともないます。だからこそ近代の合理的で型にはまった社会はその自由を認めることができないのです。人間という「この決定的な夢想家」▼81——これはブルトンの言葉ですが、ロートレアモンはさらに直截《ちょくせつ》に「年若い夢想家」▼82と言っています——は覚悟を決めなければなりません。この極限の経験に、ときには自らの生命を、あるいは精神の健康を危険にさらしてまで身を投じるのです。それがアントナン・アルトー▽や、「大いなる賭け」の文学運動を主導したロジェ・ジルベール＝ルコント▽の例です。アルトーはそれが精神的指針であるかのようにこう宣言します。「他の連中は作品を差し出すと言うがいい。私はここに私の精神以外のなにものをも示す気はないのだ。生きるとは、もろもろの問いを燃えあがらせることだ[83]」

苦しみと引き換えに獲得されたこの夢見る自由は、神話の題材と類縁性があります。どのような社会も、歴史のある時点において、黄泉の国の探究をおこなってきました。これは、心理学の用語では「カタバシス（冥府くだり）」と呼ばれます（ギリシア語で「下へ降りる」を意味するkatabasisに由来します）。この想像上の旅において人間は、現実世界の下に存在する非現実の世界を訪れ、好奇心から、愛から（エウリュディケを探すオイディプスのように）、あるいは人間の本質である未知への関心から、そこを冒険します。そのためには確実なものを背後に残して、死の扉を越えていかなければなりません。メソポタミアの英雄ギルガメシュの、親友エンキドゥを救うため不死の花を求める旅は、まさにこの冒険です。シャーマンが忘我状態に入るのも、死と再生をともなう旅によって生者の国の彼方へと赴《おもむ》くためにほかなりません。中国でもまた、感情と言語をこの上なく洗練させた唐代の古典詩――杜甫《ドゥーフー》▽、李白、王維――があらわれるまで、文学はやはり夢幻の世界によく似た超自然的なものへの志向を示していました。それが郭《グオ》璞《プー》▽によって編纂された有名な『山海経《せんがいきょう》』[84]です。純粋な想像力の産物であり、神々や妖怪の目録とも中国の古代神話の集成ともいえるこの書物は、その心をそそる荒唐無稽さによって、マルコ・ポーロ▽の『東方見聞録』やジョン・マンデヴィル▽の『東方旅行記』の時代には、神秘に包まれた中国という国についての重要な文献資料のひとつとまでされていました。

円環的時間という観念も、中国の詩的創造においては馴染《なじ》み深いものです。それは中国古典文学でもっとも有名な小説のひとつ、曹雪芹《ツアオシユエチン》▽の『紅楼夢』からも見て取れます。この作品では、登場人物の運命はそれぞれの前世と結びついているとともに、その運命が成就するのは往々にして夢を通じてです。林黛玉《りんたいぎよく》の悲痛な死がそうですし、賈宝玉《かほうぎよく》の最初の夢では仙女に導かれるままついていくと、天から落ちてきた石のひとつに次のような謎めいた対聯《ついれん》が書かれています。

仮の真となる時　真もまた仮
無の有となる処《ところ》　有もまた無

詩人たちは、神話の時代が遠い過去となってしまってからも、夢と現実との邂逅を探求してきました。それは、現実の生と超自然的な生という人間のふたつの面を融合させることにほかなりません。いわゆる「未開人」は、日常の生活と神話をたえず結びつけることで、この邂逅を全的に生きています。それに対して近代社会は、理性的なものの優位を主張することによって、創造力をはぐくむ夜との結びつきをいわば破棄しました。こうして支配的になった決定論と実証主義に対する反動として、かつては保たれていた両者のバランスをふたたび取り戻すことが必要になったのです。ウィリアム・ブレイク▽からノヴァーリス、あるいはジェラール・ド・ネルヴァル▽からボードレール▽にいたる夢見る人々――その行き着く先が、浄化をもたらす熱病のようなものとしてあらわれたロートレアモンの『マルドロールの歌』やランボー▽の幻視、そしてシュルレアリスムの冒険です――のおかげで現代の私たちは、この夢見る自由こそが、物質的な力や文化的遺産の如何《いかん》に関わらず、人間がバランスを保つための貴重な財産であることを発見しています。目に見える世界は影にすぎないことを発見――というよりむしろ再発見しています。世界中の古の民の智恵が私たちにこう問いかけます。われわれは畢竟《ひっきょう》まどろむ神の夢の中で生み出されたにすぎず、神の目覚めとともに幻のように消え失せてしまうのではないか、と。ホルヘ・ルイス・ボルヘス▽はこのことを見事に書いています。

> われわれは与えられた時間のすべてをもう踏破してしまった。われわれの生は、ある回復不可能な過程の、疑いようもなく欺瞞に満ちて不完全なかすかな記憶、あるいは淡い余映でしかない。▼85
>
> （『伝奇集』）

夢の領域を取り戻そうとするこのような企ては芸術の分野に限られているように思われるかもしれません。夢の題材は、絵画作品や映画や小説を創造する素材となります。幻想的な作品が現代の物質主義的な社会でこれほど成功しているのは、それが単なる表面的なものでも一過性の流行でもないことを示しています。私はこのささやかな発表の最初に、あえて現代科学についてお話ししました。自分がその一部をなしている世界を理解しようとする人間の性向はすばらしいものです。認識の手段、すなわち自然を計測し、諸現象を分析する能力を編み出すことで、科学は理解のおよぶ範囲を大きく広げてきました。無限というものの発見、生命が潜在的に持つ無尽蔵ともいえる可能性、物質構造の複雑さ、こういった分野のおかげで、私たちは思い上がった確実性に凝《こ》り固まるのではなく、その反対に、宇宙を形作っている無数の神秘や、精神の底知れぬ深遠さを感じ取ります。そして、ひとつの謎がまさに解明されようとするたびに、さらに大きな謎が新たに増えます。つまり生とは延々と連なる秘密と錠前であり、これこそが生を古の神話に近づけるものなのです。

中国は幾多の戦争や革命を経てもなお、その歴史を通じてつねに過去の文化的遺産――とりわけすばらしい文学的遺産を保ちつづけてきました。それだからこそ、科学的なものと想像的なものとが手を取り互いに補うような、新たな人間主義《ヒューマニズム》のモデルを世界に向けて示すことができるのです。そこでは合理的思考と夢はもはや相反するものではなく、分かちがたく結ばれた一対の力となって精神の安定と平安をもたらします。これこそが中国から世界へと向けた大いなるメッセージとなるのです。

（江蘇、揚子江作家週間にて、二〇一七年五月十三日）

種蒔くこと

文学の歴史というのは、世界の歴史より遅れるか、あるいはそれと歩調を合わせるように作られるものです。けれども、どうしてそのようなことが起きるのかわからないのですが、文学の歴史の方が未来を予言しているように見えることがあります。ずっと後の時代にならなければあらわれてこないような感性を、文学が先取りして書いていることが往々にしてあるのです。例えばオデュッセウスがおこなう「葡萄酒色《ぶどうしゅいろ》の海原」での長い旅には、古典期ギリシアにおける哲学的探究や、やがて地中海ヨーロッパを結びつけるようになる諸民族の接触の予示を見ることができるでしょう。また、諸子百家時代の中国にあらわれた人間主義《ヒューマニズム》は、やがてこの偉大な文明を育む重要な核となり、特に杜甫《ドゥーフー▽》や王維《ワンウェイ▽》、そして李白《リーバイ▽》の時代には、詩文学の基層となります。文学というのは人間主義《ヒューマニズム》に不可欠な要素のひとつです。だからこそ文学はその古さにもかかわらず――紙の書物と文字ほど古いものがあるでしょうか――近代性《モデルニテ》がもたらすあらゆる変容にも飲みこまれずに生き残っているのです。

人々はこれまで、異文化間交流はグローバル化の時代、つまり私たちの時代に特有のものだと、いささか得意げに主張してきました。このグローバル化の時代がはじまった時期についても、さまざまな人がわけ知り顔で言っています。アレクサンドロス大王のギリシア、チンギス・ハーンのモンゴル帝国といった大征服の時代からだ、とか、海を渡ってマルコ・ポーロ▽が中国へ、クリストファー・コロンブスがアメリカ大陸へ、ジェームズ・クックがオセアニアへと向かった時代からだ、というように。これらはたしかに、それまで砂漠や大海に隔てられていた民族同士が互いに出会う重要な瞬間を示しています。しかし出会いはそれ以前からすでに、芸術作品や文学を通しておこなわれていたのです。グローバル化とは、ただ単に経済面での出会いにとどまるものではなく（経済面での出会いは、スペインやポルトガルによるアメリカ大陸の侵略や、フランス、イギリス、ドイツによるアフリカの征服に見られるように、ときとして悲惨なものでした）、なによりもまず、さまざまな文化や芸術が混融する坩堝《るつぼ》の状態のことでした。これこそが世界中の人々の意識を根本から変容したものなのです。

この変容の影響の数々は、どれほどの時間を経て、歴史のなかに明確な形を取ってあらわれてきたのでしょうか。それを言うのは困難ですが、ひとつの例を挙げるだけでも、いかに長い時間がかかるか理解できるでしょう。その例とは次のようなものです。紀元前五世紀の中国（孔子没後の戦国時代）で、大思想家であり、すぐれた発明家でもあった墨子が、最初の暗《カメラ・》箱《オブスクラ》を作ったと伝えられています。扉の小さな穴を通った光が、暗い部屋の奥の壁に寺院の倒立した像を結ぶことに気づいた墨子は、離れたところに映像を投影する箱を作らせました。この驚異的な発明が、現実世界の再現という、人類の全歴史を通じて基本となる思想の出発点となったのです。墨子の発明の影響は、神秘的夢想に背を向けてもっぱら現実にのみ関心を注いできた中国哲学の歴史を貫いています（真実や現実をあらわす漢字「真」に「目」という文字——「目」は暗箱《カメラ・オブスクラ》と同じ仕組みを持つ器官にほかなりません——が含まれているのは興味深いことです）。

このように、経済面でのグローバル化とは別に、あるいはそれを準備するものとして、さまざまな思想や発明、文学作品や芸術作品が各地に伝播し、それによって新たな人間主義《ヒューマニズム》がもたらされてきました。現代では世界中の国々が例外なくその恩恵を享受しているのです。

どの時代においても、真実の探究があるからこそ、いまある現実と望ましい状態とのあいだでバランスを取ることができました。文学の歴史をひもとくと、そのような探究の例であふれています。なかでも世界文学の歴史のなかで決定的に重要なのが、このうえなく独創的な小説『才知あふれる郷士ドン・キホーテ・デ・ラマンチャ』、すなわちミゲル・デ・セルバンテス・サアベドラ▽が書いたあの『ドン・キホーテ』の出版です。フランスの哲学者モンテスキュー▽が「ほかのあらゆる書物をくだらないものにした書物▼86」と評したこの作品が、どのような状況のもとで書かれたのか、そしてどのような精神的解放をもたらしたのか、ここで振り返ってみましょう。

セルバンテスは『ドン・キホーテ』を、戦うための武器として書きました。憂い顔の騎士ドン・キホーテは、忠実な従士サンチョ・パンサとともに十六世紀のカスティーリャを遍歴しながら滑稽な冒険の数々を繰り広げるのですが、その旅の目的というのはドン・キホーテにとっては理想の貴婦人ドルシネア・デル・トボーソの愛を獲得することであり、サンチョ・パンサにとっては黄金の島を手に入れ総督として何不自由なく暮らすことでした。というのも、セルバンテスが言うように、「飢えている者に水をやり、渇いている者に食料をやる」こと以外に生きる目的はないからです。主人公の騎士はその狂気じみた旅のなかで伝統的な敵――ムーア人や悪党連中、さらには巨人と思い込んだ風車――と戦います。しかしこの小説は、別の戦いについても語っているのです。それは、叙事詩時代の沸き立つ想像力を受け継いだセルバンテスが、同時代にはびこる虚偽や誤謬に対しておこなわなければならない戦いです。このことを理解するためには、セルバンテスの時代の文学が、現実を戯画的なまでに歪曲する作品で占められていたことを思い出す必要があります。中世以来の騎士道物語、特にガルシ・ロドリゲス・デ・モンタルボ▽が編纂し『ドン・キホーテ』の少し前に出版された『アマディス・デ・ガウラ』の影響があまりに大きかったため、スペイン王フェリペ二世は一五五〇年に「植民地のすべてのスペイン人とインディオにいかなる騎士道物語も読むことを禁じる」勅令を出すことを余儀なくされました。けれどもセルバンテスのおかげで荒唐無稽で有害無益な騎士道物語は終焉をむかえ、この勅令は施行されずにすみました。このように、たったひとつの小説の力だけで世界は虚偽と訣別し、あらゆる国境を乗り越えて、普遍的価値を持つリアリズムの段階に到達したのです。

こういった影響は最近になってからのものにすぎない、と異論を唱える方もいるかもしれません。中国や日本でヨーロッパの文学が翻訳されたのはだいぶ遅くなってからですし、ヨーロッパの読者も長いあいだ中国や日本の偉大な作品を知らずにいました。しかし、世界の歩みを大きな視点からとらえると、思想の潮流は多くの国においてほぼ同じような展開をしていることがわかります。曹雪芹《ツァオシュエチン》▽はその好個の例です。『紅楼夢』という素晴らしい作品を残したこの小説家は、約百年の時を隔ててイギリスで活躍した写実主義の作家、鋭い風刺を効かせて社会を描く『バリー・リンドン』や『虚栄の市』などを書いたウィリアム・メイクピース・サッカレーと並べて考えることができます。ふたりの作家はいずれもそれぞれの時代に、同じような政治状況のもと（中国では封建国家の終焉、イギリスでは近代化の急激な進展）、批判的リアリズムを自らのものとし、当時の貴族制度の欺瞞を暴きました。賈宝玉《かほうぎょく》もバリー・リンドンも、女性の弱さを利用し、体制に反旗をひるがえす反逆者なのです。ふたりの作家には顕著な違いがいくつも認められますが、いずれも市民社会の先駆者としてあらわれ、特権の終焉と古来の伝統の崩壊を告げる点においては変わりありません。

　この興味深い点について、さらに掘り下げて考えてみましょう。ご存じのように、いくつもの技術発明が、明確な関連性はないのに、世界でほぼ同時期にあらわれました。例えば印刷術、航海術、暦法、そして近いところでは蒸気機関、電話・ファックスといったものです。さまざまな思想の伝播を植物の種子の拡散と結びつけるなら、思想の種子や胞子は、この地球を包んでいる目には見えないけれど確かに存在している気流に運ばれて、世界各地に広まったのだと考えることもできるでしょう。十五世紀のアステカの詩人ネサワルコヨトルはそのもっとも驚くべき例です。ネサワルコヨトルが生の無常と死の強迫観念に浸された詩を書いたのは、スペインの征服者という、やはりバロック時代の懐疑に染まった者たちが到来する少し前のことでした。まったく異質なふたつの文明は、それぞれ別の進化の過程をたどりながらも、同じ厭世的なテーマを発展させてきたのです。もちろんこれは極端な例です。ここ西安はシルクロードの出発点のひとつですので、文化的な種子の伝播を語るにあたっては、別の例を挙げることもできます。みなさんは、十四世紀の旅行家ジョン・マンデヴィル▽が依拠していた中国に関する資料の大部分が神話に類するもので、当時のヨーロッパの読者は中国の現実を、郭璞《グオプー》▽編纂の『山海経《せんがいきょう》』に描かれた奇想天外な生き物の影響もあって、むしろ幻想的なものとして思い浮かべていた、ということに驚かれるのではないでしょうか。これは、望もうと望むまいと、神話や幻想的イメージの方が現実よりも早く広まるからなのです。そもそもヨーロッパで最初に写真が使われた目的にしても、幽霊の存在を目に見える形で証明するためだったのですから。

しかし、社会学よりも文学に惹《ひ》かれる私としては、この伝播がもたらす別の豊かさについてお話ししたいと思います。文学が未来を予知することはめったにありません。文学が目指しているのは治療法を示すことではなく、むしろ証言することであり、そして場合によっては病気を特定する一助となることだからです。さまざまな文化の土壌を肥沃《ひよく》にすること、これが文学の主要目的であり、存在理由なのです。セルバンテスの小説も、シェークスピア▽の演劇も、李白や王維の詩も、同時代の人々のみに向けられたものでもなければ、それらの作品が生み出された国についてのみ語るものでもありません。文学作品が伝えてくれるのは時代や国に限定されない人間の本質です。人間は文学作品のなかに変化のために不可欠な種や活力を見出《みいだ》すことができるのです。書物はその誕生以来一貫して知識を手に入れる手段、したがって自由を手に入れる手段のひとつでした。十八世紀においては、私の出身地である小国モーリシャスでは、奴隷がたとえ聖書であっても書物に近づこうとすると、手ひどく鞭打たれかねませんでした。レユニオン島出身の作家ルイ・ティマジェーヌ・ウアト▽の小説『逃亡奴隷たち』は、当局から反体制的と見なされ、フランスでは長いこと発禁になっていました。

より一般的には、精神を豊かな沃土とするのは文化によって、文化の想像的（あるいは創造的）な側面によってです。基本となる重要作品として私は、『マハーバーラタ』の作品群を挙げたいと思います。この長大な叙事詩（長い版では十万を超える二行連句からなります）を、『千夜一夜物語』の元となったソーマデーヴァ▽の『カター・サリット・サーガラ』▼87（「物語の川が流れ入る海」の意）のような、世界中の文学に見られるいくつものテーマの源泉である歴史的物語として読むこともできるかもしれません。しかしこの作品に書かれているのはなによりもまず、あらゆる人間が自己実現のためになすべき内なる戦いのメタファーなのです。『マハーバーラタ』作品群のはじめに位置する『森の巻』は、人類全体の歴史、すなわち原初の野生状態から徐々に人間主義《ヒューマニズム》を獲得していく過程を、見事に象徴しています。この巻でもっとも心を打つのは、懐疑や人間の卑劣さに対する勝利を描いた、ナラ王とダマヤンティー姫のこの上なく美しい愛の物語です。『マハーバーラタ』のなかでも特に有名な『バガヴァッド・ギーター』は、無私を実現するための象徴的な戦いを描いていて、のちにマハトマ・ガンディーの非暴力抵抗運動にも影響を与えました。

なかにはこう反論する人もいるでしょう。『マハーバーラタ』作品群も、ほかにもいくつもあるインドからもたらされた種子の大部分と同様に一般読者にはほとんど知られていない、せいぜいエキゾティックな文学の片隅に座を占めているだけではないか、と。けれどもそれは違います。平和というものが世界における普遍的価値になったのは、『マハーバーラタ』の『努力の巻』やヴェーダンタ哲学に見られるように、この思想が主にインド哲学に源を発しているからです。この平和的革命こそが、相互理解と共有にもとづく多元的文化を生み出してきたのです。

けれども誤解してはならないのは、文学は道徳を口当たりよく伝えるものではないということです。『マハーバーラタ』は、中国の『三国志』と同じく、平和を描いた作品などではありません。聖書や『イリアス』のように、残酷な戦争、人間の情念、野心や権力闘争が嫌というほど描かれています。そこに出てくる古代社会は、不平等のうえに成り立つ社会です。したがって『マハーバーラタ』が私たちに促すのは字面通りの読みではなく類推にもとづいた読み、すなわち神話を移しかえて時代に応じた新たな意味を持たせることを可能にするような読みなのです。

もちろん、文明が発達した「すばらしい新世界」ではなにもかもがうまくいく、というわけではありません。社会的軋轢《あつれき》、不平等、排斥、偏狭な共同体主義という危険はいつの世にも存在しています。最近になって世界のほぼいたるところで宗教的過激主義や差別をめぐる暴力が起きていることからもそれは見て取れます。文化というのは、ごく一部の限られた人々だけのものと見なされると、不和の種にもなりえます。残念なことに、あらゆる政治的扇動者が自らの野望のために文化を歪曲して利用するからです。だからこそ、文化を伝達する媒体としての文学作品が広く普及することがとても重要になります。私たちは文学作品のおかげで他者を理解し、その特異性を許容するだけにとどまらず、他者を愛し、自らの心のなかに招き入れることができるのです。

中国は今日ではこの探究の先頭に立っています。これほどまでに文学の普及を支援し、組織し、評価している国はほかに類を見ません。外国語の学習や次々に出版される翻訳書によって、世界中の文学が中国に紹介され、多くの読者に読まれています。私はこういった出会いを自分自身で経験してきており、現代中国が目指しているものを証言することができます。それはまた、大学での教育分野の垣根を取り払い、科学と芸術とを融合し、新たな人間主義《ヒューマニズム》を目指すことでもあります。このような言い方は抽象的に思われるかもしれません。私は南京大学でさまざまな人と出会い交流するなかで、唐代や宋代の難解な古典詩のすぐれた専門家のなかには、宇宙物理学者や地理学者、社会学者、情報科学者といった理系の学徒が何人もいることを知りました。このような開かれた姿勢は今日の中国にとって未来を約束するものであり、すべての大学の手本となるに違いありません。

　文学や芸術の危機とは、まさにこの普遍性を拒絶することにあります。作品が単なるナショナリズムや地方趣味の発現に堕してしまうと、芸術創造そのものの目的が失われてしまいます。もちろん作家というのはある共同体に属していて、自分が知っている小さな世界についてまずは語るものです。しかし往々にして、作家がいざ描き出そうとするときにはその小さな世界はもう存在していない、という事態が起こります。それがフランスのマルセル・プルースト▽、あるいは中国の老舎《ラオシャー》▽という、滅びつつある階級に生まれたふたりの作家の場合です。現代の大小説家である莫言《モーイエン》▽も同じで、自らの記憶を利用して、農民の過酷な生活の終焉から中国の躍進までをありありと描き出します。こうした作家たちが自己を実現するのは、現実をありのままに描くことによってだけではなく、あらゆるものが境界を超えて広がるような、神話と現実が入り混じった場を創出することによってです。彼らにとっての唯一の真実は、言語活動における創意、すなわち新たになにかを作り出す能力のなかにあるのです。

混淆。私たちが直視しなければならないのは、異種交配という問題です。今日においてグローバル化が困難に突き当たっているのは、コミュニケーションも文化も一方通行にしかなされないからです。そしてまた国境という目に見えない線が、すべて（飲料水、医薬品、食料、教育）を持つ者と、なにひとつ持たざる者とを分断し、残酷な選別をおこなうフィルターになってしまったからです。富める国と貧しい国のあいだでは、原材料や労働力は自由に行き来できますが、進歩の成果が行き渡ることはありません。この利己的で貪欲な世界では、あらゆるものが輸出されます。ただし人間主義《ヒューマニズム》はそこに含まれていないのです。

経済水準の高い現代的な社会は自らの特権にこだわるあまり、自分たちのこととなると人命の価値を尊重するのに、他者の命に関しては一顧だにしません。現代的社会の市民だけが運命を思うままにでき、世界を支配する権力を握っているのです。このような態度が危険であるのは昔も今も変わりありません。それは将来の戦争の種を孕《はら》んでいるからです。

唯一の理想は間文化性《インターカルチュラル》を確立することですが、そこに至るまでにはまだ長い道のりが必要です。ディアスポラについて、文化の種子の伝播について、そして混淆について話すたびに、植民地支配を支えていた古い幻想の数々は消え去っていないということに気づかされます。それらはいまだに残存したまま、共同体同士の、国家同士の、そしてなによりも個人同士の関係を悪化させています。

文学（ここで言う文学とは、近代小説も古典叙事詩も含んでいます）とは、あらゆる偏狭な急進主義と真っ向から対立するものです。作家が語るのは、自分が生きている時代や自分が生まれ育った土地のことだけではありません。作家とは混淆の産物であり、人間文化の複雑さと変幻自在さを広大な世界のさまざまな場所で表現する人たちなのです。世界にはただひとつの中心があるのではなく、複数の中心があるのです。

（「大益文学」主宰フォーラムに寄せて、西安、二〇一七年十月十四日）

終わりに

畏友《いゆう》、許鈞《シュジュン》へ

たとえそれが人生の一部しか占めていなくても、たとえそれが人生を振り返る内省的な時期にさしかかってから訪れたものだとしても、その人の人生に消えることのない痕跡を残す出会いというものがある。内省的な時期とは物語の最終章のようなものだ。これまでの経験や紡《つむ》いできた見えない糸が、よくできた小説さながらに、すべてひとつに合わさるのだから。人生においてこの時期は、おそらくもっとも短く、そしてもっとも豊穣な時期であろう。

　許鈞との出会いは、そういったもののひとつだ。この出会いは必然であり、起こるべくして起こった。というのも許鈞は早くから私の小説の中国語への翻訳を手がけてくれた人であり、そのおかげで私は中国に知的な対話者を得ることができたからだ。

　私はごく若い頃から中国の文化や文明のあらゆる面に――文化大革命時の矛盾の数々も含めて――傾倒していた。荘子や老子、そしてもちろん孔子の『論語』を読んだのはかなり若い頃だ。そのときはまだエクス＝アン＝プロヴァンス大学の学生だったが、足繁く講演会や研究会に参加して、それらの作品について、あるいはその思想をいかにフランスのきわめて実利的な社会に適用するかについて学んだ。しかしその知識はどこまでも抽象の域を出ることはなく、不完全なままだった。だからこそ私は一九六六年に中国へ赴《おもむ》こうと考えたのだ。その年、ド・ゴール将軍の肝いりでフランス政府は北京に大使館を再開するとともに、両国の関係を強固にするため、若い教員を集めて中国に派遣することを決めた。そこで志願したのだ。けれども、なにかを期待しているときにはよくあることだが、残念なことにその志願は受理されなかった。代わりに派遣されたのは、国立行政学院の学生クロード・マルタンだった。それから二十年後、在中国フランス大使になっていたそのクロード・マルタンが、私を中国に招待してくれた。妻のジエミアと私は大使夫妻とともに北京、西安、上海、南京と、中国各地をめぐった。許鈞と出会ったのはそのときだ。

こういったことからも、この出会いには必然性があったと言えるだろう。中国的な考え方になじんだ私としては、この出会いは運命で定められたものであったとさえ言いたくなる。

許鈞は、私が中国に対して頭と心でアプローチするにあたっての「導き手」だった（あるいは中国の伝統的な意味での「師」と言うべきかもしれない）。その許鈞の人となりをごく簡単にではあるが述べてみることにしよう。

まず挙げられるのは、気取りのなさだ。最初に会ってまず強い印象を受けた。許鈞は碩学泰《せきがくたい》斗《と》の学者だ。文学についての並外れた知識は専門とするフランス文学にとどまらず、中国、イギリス、アメリカ、チェコをはじめ、世界各国の文学に及んでいる。しかしそこには衒学的《げんがくてき》なところが微塵《みじん》もない。自分が以前に研究・翻訳した本について語るのも、自慢からではなく、感動を他者と共有し、知を伝達するためだ。それを語る言葉は簡にして要を得たもので、難解な専門用語は使わず、なんの衒《てら》いもない。もちろん翻訳学の第一人者として、文体論や文献学に関する最新の研究にも精通している。その思考は間テクスト性を基盤に、つねに構造化されている。けれども許鈞にとって学問とは、なによりもまず教育のため、つまり、感動や美的感興を人と分かち合うためにあるのだ。世間の人々に称賛されるためではない。

許鈞の飾り気のなさは彼の存在そのものから発し、あたたかい光で顔を照らし、微笑《ほほえ》みのなかで輝いている。この内なる光は、許鈞の第二の長所である精神の若々しさのあらわれでもある。

私は教師を生業《なりわい》とはしていないが、大学での生活はこれまでに何度か経験してきた。最初はエクス＝アン＝プロヴァンスの学生として、その後はアメリカやカナダのいくつかの大学の客員教授として。残念なことに、大学というのは往々にして閉鎖的な世界で、人々の性格もそこに染まってしまう。野心、嫉妬、表と裏の使い分けなどによって、大学人としての道を選んだ人たちの心が干からびてしまうこともある。肥大した抽象的観念のせいで、怠惰のせいで、あるいは社会経験の欠如のせいで人間らしい心が硬直し、偏狭な精神に陥ってしまうことも少なくない。しかし許鈞はその対極にいる。少し言葉を交わし、学生や他の研究者とのやりとりを目にするだけで、許鈞が熱意と共感にあふれた若々しい心を持ちつづけていることが感じられる。人に警戒心を抱くことも、立場を笠に着ることもない。いつでも他人の話に耳を傾け、求められれば惜しみなく助力を与える。許鈞は謙虚さと知恵の、すなわち人間性の見本だ。私は四十年前に中国を初めて訪れて以来、この偉大なる国の古《いにしえ》の文化に関心を寄せているが、許鈞との出会いのおかげで、中国文明が人類にとっての宝のひとつである理由をより深く理解できるようになった。出会いを重ねるにつれ私には許鈞が、現代に再来した漢代、あるいは唐宋代の偉大なる師に思えてきた。彼は堅固な自分を持つとともに人間味にあふれ、人々のただなかで生きながら皆に手本を示し、助言を与える存在なのだ。それは許鈞が教養や批判精神に加えて、他者への思いやりと共感を備え、立場の上下や傲慢さとは無縁だからだ。精神の若々しさを備えているからだ。その並外れた教養が他者との素朴で率直な関係を妨げることはない。許鈞は毎日を新たな一日――新たな経験をもたらして思考と創造を育んでくれる新たな一日――を生きるように生きている。

許鈞の数ある長所のなかでも私が敬愛するのは、彼のこれまでの経験だ。彼の世代が送ってきた人生は楽なものではなかった。昨年私は、許鈞の故郷である浙江省の村を案内してもらった。そこでは両親をはじめ、家族の人たち全員と会うことができた（許鈞は六人兄弟）。この訪問が感慨深かったのは、許鈞がこの村に生まれて大学に行くまで、いかに苦労を重ねたのか理解できたからだ。騒乱が吹き荒れる危険な時代においては、その道のりはまさに命がけの冒険だ。現在では村は平和そのもので、静かな通りは調和に満ちた光景を見せ、許鈞の両親は愛情と優しさにあふれている。しかしそれらも、この家族がくぐりぬけてきた苦難の時代を忘れさせることはできない。許鈞が幼い時分は、農村部の子供には教育の機会がつねに保証されていたわけではなかった。学校が休みになると、兄弟姉妹とともに働いて生活を支えた。薪《たきぎ》集め、家畜の餌やり、田畑の手伝い。生活は厳しかったが、許鈞はそれを嘆くことはない。この生活があったからこそ性格が鍛え上げられたのだ。彼が話してくれる思い出はどれも胸を打つが、知識欲が旺盛だった子供時代の話には特に心動かされる。村の中央に立つ柱に掲げられた拡声器。そこから流れてくるのは、国内のさまざまな出来事についての報道声明だ。子供はそれを聞き、理解しようと、拡声器のそばに近づいていくのだった。この好奇心はその後もけっして消えることはなく、生涯にわたってその子供を導き、知識の階梯を着実に昇らせた。若くして人民解放軍に入った許鈞は、その頭の回転の速さと知識欲で上官に一目置かれるようになる。フランス語との出会いはこの頃だ。十七歳で外国語学院に入学し、軍の支援を受けながらフランス語を学び、次いで大学、そして国際関係学院でフランス語翻訳者としての勉強をつづけ、三年後には奨学金を得てフランスのレンヌ第二大学に留学する。二年間の留学でフランス語を完璧に身につけ帰国すると、名門南京大学のフランス語学科に着任し、やがて文学翻訳の第一人者として著名な教授になった。

許鈞の人生をこのように詳細に語ろうと思ったのは、人生経験に鍛えられ、知識欲と知的好奇心によって方向づけられた彼の人となりを浮き彫りにするためだ。自分の作品の翻訳を彼に手がけてもらえたのは私にとって光栄なことだ。しかしそれ以上に、こうして何年にもわたって互いに友情を育んできたことに深い感動をおぼえずにはいられない。

この出会いは運命に導かれたものだと思う、と私は書いた。たしかに、若い頃から抱いていた中国の文化や文明への関心がこの出会いにつながったのは事実である。しかし中国の文化に目を開く手ほどきをしてくれたのは、人との出会いだ。それは当初からの友情あふれる交流——手紙を介したり、直接言葉を交わしたりする交流——によって相互理解が生まれたおかげだ。許鈞の助言と手引きで、私は書物を通じてだけではなく、中国文化の生きた姿を通じて、この国の複雑かつ独創的な現実に出会うことができたのだ。私たちは冒険をともにし、ときに公の場で、たいていは私的に対話を繰り返した。ふたりの関係はいつでも和《なご》やかで、私の無知や思い違いが原因で衝突するようなことはなかった。先ほど教育について言及したのはそのためだ。偉大な師だけが、驕《おご》ることなく教え、ごく自然に分かち合う術《すべ》をこころえているのだ。

その昔、夏のニースを染める黄金色《こがねいろ》の空の下で、これからの旅のために漢字を学ぼうと努力したときに始まった私の中国をめぐる冒険は、無限の地平を目の前に開いてくれた許鈞との友情をめぐる冒険でもある。私は自分が中国を知っているなどとは言わない。それには一生をかけても足りないだろう。しかし中国のごく一部だけでも読書や日常生活を通して理解することができたのは、すべて許鈞のおかげだ。ここに心よりの感謝を捧げたい。

二〇一七年冬、南京にて

訳註

▼1　リャン・シューミン／りょう・そうめい（一八九三―一九八八）中国の思想家。北京大学でインド哲学を講じる。一九二一年に出版した『東西文化とその哲学』では、調和と中庸を根本とする中国文化復興の必要性とその精神に立脚した西洋文明の受容を説いた。

▼2　ル・クレジオが引いている『ドリアン・グレイの肖像』序文は、正確なものではない。正しくは「芸術はまったく無用である」

▼3　Vasco de Quiroga（一四七〇―一五六五）メキシコのミチョアカンの初代司教。先住民の窮状を目にし、メキシコ市郊外にサンタ・フェという救済村を私費を投じて建設。トマス・モアの『ユートピア』の内容から採った生活規範を定め、先住民の教化と規律ある社会生活への適応を図った。

▼4　テレームの僧院は『第一の書ガルガンチュア』に描かれた理想郷。男女が完全な共同生活を営み、「汝《なんじ》の欲するところをなせ」を唯一の規則に、洗練された心身の快楽を存分に味わうことのできる場所とされ、すべての点で当時の僧院とは正反対の性格を与えられている。

▼5　シテール島は、ギリシャ・ペロポネソス半島の南に浮かぶキティラ島のフランス語読み。ギリシア神話の愛と美と女神アフロディテの誕生地とされたことから、この島に「愛の島」のイメージが

与えられた。

▼6　『紅楼夢』（一七九一）は中国の清代の長編小説。名門貴族の栄華と没落を背景に、主人公賈宝《かほう》玉《ぎょく》と従妹林黛玉《りんたいぎょく》の悲恋を中心に描き、暗い宿命観と人生の無常観をただよわせている。緻密な人物描写がなされ、中でも女性の微妙な心理描写にすぐれる。

▼7　「海の鏡」はコンラッドの海洋エッセイ集のタイトルで、ボードレールの詩「人間と海」の一節「自由な人よ、きみはいつでも海を愛しむだろう／海はきみの鏡だ」を踏まえている。

▼8　インド洋に存在したと考えられた仮想の古代大陸。

▼9　ル・クレジオの言葉とは異なり、自伝的小説『それを眠りと呼べ』（一九三四）は出版当初は注目されず、ベストセラーになったのはマッカーシーの「赤狩り」のあと、一九六四年に再版されてからである。

▼10　『四世同堂』（一九四四―一九五〇）は老舎の代表的長編小説。祖父から孫まで四世代が同居する祁《チー》一家をはじめ、北京の庶民生活が日本軍の占領によって脅かされ破壊される姿を克明に描く。

▼11　バルザックの小説『ゴリオ爺さん』の登場人物。立身出世を夢見て田舎からパリに出てきて、社交界に足を踏み入れたばかりの青年。「さあ、今度はおれとお前の勝負だぞ」は、ゴリオの孤独な死を看取ったラスティニヤックが、丘の上から見下ろすパリの街に対して投げかける挑戦の言葉。

▼12　ル・クレジオは一九七〇年から一九七四年にかけて、パナマのインディオ、エンベラ族のもとに毎年数カ月間滞在し、起居をともにした。その体験にもとづいて、エッセイ『悪魔祓《ばら》い』（一九七一）が書かれた。

▼13　作家の先祖フランソワ＝アレクシ・ル・クレジオは、十八世紀末、フランス革命期にブルター

ニュ地方から、当時「フランス島」と呼ばれていたモーリシャス島に移住した。一族は繁栄し、二十世紀初頭までそこで平穏に暮らすが、その後反目ないし破産による一族の分裂が起こり、作家ル・クレジオの直接の先祖は祖父の代に島を離れフランスに渡った。

▼14 イギリスと、かつてのイギリス植民地から独立した諸国で構成される、ゆるやかな連合体。正式名称は「コモンウェルス・オブ・ネイションズ（Commonwealth of Nations）」二〇二二年四月時点で五十四カ国が加盟している。

▼15 Martin Bernal（一九三七—）『黒いアテナ』（一九八七）において、ギリシア人たちは、アジア・アフリカ人が数千年かけて積み上げてきた文明を受け継ぎながら、新たな混成的文明世界を切り開いたとする「修正古代モデル」を提示した。

▼16 Diego de Landa（一五二四—一五七九）スペインのフランシスコ会の聖職者で、後にユカタンの司教になった。スペインによるアメリカ大陸の植民地化初期のユカタン半島で先住民のキリスト教化に従事。改宗した先住民のあいだに残る土着宗教的要素の根絶を目指し、一五六二年に数十名の先住民を異端のかどで捕えて厳罰を科すと同時に、マヤの絵文書や偶像を焼却破壊した。

▼17 Vladimir Yakovlevich Propp（一八九五—一九七〇）ロシア（ソ連）の民俗学者、文芸学者。フォークロアの理論ならびに歴史の問題を研究対象とし、『民話の形態学』（一九二八）では昔話の登場人物の機能、行動パターンに着目、それらは全三十一の機能に分類可能とし、後に世界に広まった構造主義的研究の端緒とされる記念碑的著作となった。

▼18 ヴァレリー『精神の危機』（一九一九年）の冒頭の文。

▼19 Les Éditions du Point du Jour ミショーについての初の研究書を出したルネ・ベルトレ

(1908-1973)が設立した出版社。大手出版社ガリマールに併合されその一部局になってからも、ミショーの作品を担当していた。
▼20 Les Éditions de Minuit 第二次世界大戦中、ドイツ軍占領下のパリで創設された地下出版社。レジスタンス文学の代表的な作品を刊行した。戦後はサミュエル・ベケットの作品、およびアラン・ロブ＝グリエをはじめとするヌーヴォー・ロマンの一連の作品の刊行によって知られることとなった。
▼21 Gustave Balitout（一八三三―？）一八六八年に『マルドロールの歌』第一の歌初版を、一八七〇年に『ポエジー』を手がけた印刷業者。
▼22 『フランス語の擁護と顕揚』を書いたジョアシャン・デュ・ベレー（一五二二―一五六〇）のこと。
▼23 Claude Lévi-Strauss（一九〇八―二〇〇九）フランスの文化人類学者。親族構造、分類の論理を研究、神話の構造分析をおこない、構造主義人類学を確立した。『悲しき熱帯』（一九五五）、『野生の思考』（一九六二）など。
▼24 Georges de La Tour（一五九三―一六五二）フランスの画家。鋭い写実性と、厳しい明暗表現を特徴とする。ろうそくの光に照らし出された「夜の光景」の宗教画と、民衆を題材にした風俗画で知られる。
▼25 スペインの作家ガルシ・ロドリゲス・デ・モンタルボの騎士道物語。一五〇八年刊。オリアナ姫に忠実な騎士アマディスの恋と冒険、巨人、猛獣、騎士を相手に繰り広げられる武勇伝で、原型は十四世紀前半にさかのぼる。十六世紀を通じて多くの続編、模倣作が書かれ流行したが、セルバンテスの『ドン・キホーテ』でパロディーの対象とされ衰微した。

▼26　Carleton Stevens Coon（一九〇四―一九八一）アメリカの人類学者。人類学、考古学、民族地理学を合わせた調査を世界各地でおこなった結果、世界各地の五つの人種（コーカソイド、モンゴロイド、オーストラロイド、コンゴイド、カポイド）はそれぞれの地域の原人から進化したと考え、〈多地域進化説〉の基盤を築いた。これは人種の起源を古く見なすものであり、しかもヨーロッパ人がアフリカ人よりも進んでいるとの解釈は人種差別であると批判された。

▼27　十分な標本数の集団を調べれば、その集団内での傾向は、その標本が属する母集団の傾向と同じになること。もともとは確率論の定理。

▼28　プルースト『失われた時を求めて』第一巻『スワン家の方へ』からの引用。

▼29　ル・クレジオは、鈴木道彦個人全訳『失われた時を求めて』（集英社）の初回配本時の月報「プルーストの手帖1」（一九九六年九月）に寄せた文章「鍵となる言葉」で、この呼び鈴の音を、「世界文学の中でおそらく最も取組みにくい作家のひとり」であるプルーストに入る「扉」と位置づけている。「こんなふうに、入口はそこにあった。呼び鈴の音が本当に小説の扉だったのであり、そこから若い読者もまた、来訪を待たれる客のように本の中に入り込めたのであり、そうすることによって読者は無名の語り手と重なり、その記憶のすべてが彼のものとなるのだった」（引用は浅野素女《もとめ》訳）。

▼30　いずれも『四世同堂』の登場人物。

▼31　Stuart and Roma Gelder　イギリス人ジャーナリスト。一九六〇年代に中国を何度も訪れ、夫婦連名で中国情勢に関する書籍を出版した。ル・クレジオが引用している老舎の言葉はStuart and Roma Gelder, *Memories for a Chinese Grand-daughter*, Stein and Day, New York, 1968所収《 Conversation with Lau Shaw 》に見られる。ル・クレジオは『四世同堂』の仏訳に寄せた序文

(« Lao She, le professeur », *Quatre générations sur un même toit*, Gallimard, coll. « folio », 1996）でもこの言葉を引用している。

▼32 Herbert Marshall McLuhan（一九一一―一九八〇）カナダの社会学者・コミュニケーション理論家。もともと正統的なイギリス中世、ルネサンス文学の学者であったが、一九六二年、西欧文化における活版印刷の影響を扱った大著『グーテンベルクの銀河系』（みすず書房、一九八六）を、ついで一九六四年に『メディア論』（みすず書房、一九八七）を刊行し、現代文明論・メディア論の先駆者となる。

▼33 Hernán Cortés（一四八五―一五四七）スペインのコンキスタドール。一五一九年から一五二一年にかけてメキシコに遠征。アステカ王国を征服して総督となり、スペインの植民地とした。

▼34 Cristobal de Olid（一四八三―一五二四）スペインのコンキスタドール。コルテスに従ってアステカ攻略後、その命令によりミチョアカン、モンデュラスの征服に赴《おもむ》いた。

▼35 世界遺産都市であるマリ共和国のトンブクトゥの図書館には、古《いにしえ》のイスラムの彩色写本など貴重な文書が多数保存されていたが、二〇一三年一月アルカイダ系の武装組織によって略奪・破壊された。しかし、古文書の大部分はすでに図書館員たちによって別の場所に移管されており、被害は最小限にとどまった。この件に関してはジョシュア・ハマー『アルカイダから古文書を守った図書館員』（紀伊國屋書店、二〇一七）に詳しい。

▼36 古代インドの大叙事詩。十八編、十万頌。口伝であったバラタ族の二王族間の戦いの物語が、四世紀頃にまとめられたものという。神話・伝説・宗教・哲学・法律・道徳などに関する多数の挿話を収める。

▼37　オリヴァー・ツイストとスクルージは、それぞれディケンズの小説『オリヴァー・ツイスト』と『クリスマス・キャロル』の主人公。

▼38　Samuel Phillips Huntington（一九二七―二〇〇八）アメリカの国際政治学者。主著『文明の衝突』（一九九六）においてハンチントンは、冷戦後の国際社会がグローバルな一体化へと進むという当時の一般的な見方に対して、国際社会はいくつかの文明圏に分裂し、それらの対立・衝突によって世界秩序がつくられていくという見方を示した。

▼39　モーリシャス共和国は一九七二年に中国と国交を樹立している。

▼40　原題は *Vida de Lazarillo de Tormes*。一五五四年版が現存最古。少年ラサリーリョが、怪しげな生業《なりわい》の主人に次々と仕え、のちにその体験を冷笑的に物語る形の自伝体小説。十六、十七世紀のスペインで大流行し、悪漢小説の嚆矢となった。

▼41　一八七七年から一九四九年まで発行された絵入週刊新聞。旅行記や探検記、冒険物語などが掲載されていた。

▼42　一八三三年から第一次世界大戦後まで発行された雑誌。分冊形式の百科事典の体裁をとり、そのときどきに応じて、道徳、歴史、芸術、自然科学、産業、旅行などさまざまなテーマの記事が掲載されていた。

▼43　一九六七年から一九七七年まで三十号にわたって刊行された雑誌。ここで言及されている透写紙に印刷したル・クレジオのテクストは、« Le langage des Maîtres », *Les Cahiers du chemin*, no. 13, octobre 1971, pp. 83-99で、のちに刊行された小説『巨人たち』（一九七三年）の一部となった。

▼44　ペギーが一九〇〇年に創刊した月二回刊行の雑誌。一九一四年ペギーの戦死によって廃刊にな

るまで二百三十八号を数える。詩を専門とする雑誌ではなく、文学・哲学・歴史・教育を扱う論文や、各種集会や議会での討論を掲載する。同誌にはペギーの著作の大部分のほか、ロマン・ロランの『ジャン・クリストフ』、ジャン・ジョレスの『社会主義研究』などが発表された。主な執筆者に、アンリ・ベルクソン、アナトール・フランス、アンドレ・シュアレスらがいる。

▼45　男性同性愛の罪で投獄されたオスカー・ワイルドが、二年間の獄中体験をもとに一八九八年に匿名で発表した詩。

▼46　プレヴェールの詩集『パロール』に治められた、数詞のついた雑多な名詞が六十詩行にわたって羅列される詩「目録」を指す。

▼47　中国の現代歌劇。一九四五年初演。地主に迫害された貧農の娘喜児が、山奥の洞穴《ほらあな》に隠れ住む間に白髪になったが、ついに恋人のいる解放軍に救われるという筋。一九五八年に京劇版が上演された。映画化・バレエ化もおこなわれた。

▼48　René Etiemble（一九〇九―二〇〇二）フランスの比較文学者、評論家、小説家。パリ大学で比較文学を講じた。広く中近東、極東とフランスの思想交流に強い関心をもち、ユネスコ刊行の翻訳叢書である「東洋の知識」叢書を監修した。

▼49　『水滸伝』の主人公で、梁山泊の百八人の豪傑たちの統領である宋江のこと。

▼50　Lao She, *Gens de Pékin*, Préface de Paul Bady, Gallimard, coll. « Du monde entier », 1982.

▼51　ル・クレジオは一九九六年にメルキュール・ド・フランス社から出版された仏語訳『四世同堂』（のちにガリマール社からフォリオ版で出版された）の第一巻に序文を書いている。Le Clézio, « Lao She, le professeur », Lao She, *Quatre générations sous un même toit*, tome I, Mercure de

France, 1996, pp. III-X.

▼52　墨子は、為政者が楽舞をおこなうにあたって、民衆を搾取し過剰な経費をかけるとの理由から、音楽活動には否定的態度をとった。「非楽」は音楽のために人と資材が失われている当時の現状に対し奢侈《しゃし》をいましめたものであり、必ずしも音楽そのものを否定したわけではない。

▼53　Ibn al-Haitham（九六五頃―一〇三九頃）イスラムの中世最大の物理学者。主著『光学の書』（全七巻、一〇一五―一〇二一）を含む光学の研究で知られ、そこには、それ以前の光学に新しい研究や見解を、経験的事実に基礎を置いて導入しており、近代科学に共通する要素がみられる。

▼54　Leonardo da Vinci（一四五二―一五一九）イタリアの芸術家・科学者。ルネサンス期の芸術・自然科学の万能的な先覚者で、解剖学・土木工学など広い分野にわたる膨大な数の手稿・スケッチ・素描があり、特に絵画・建築・彫刻においてすぐれた作品を多数残した。絵画に「モナ・リザ」、「最後の晩餐」など。

▼55　Canaletto（一六九七―一七六八）イタリアの画家。ヴェネツィアに生まれ、同市の建築物、広場、運河等をカメラ・オブスクラを用いた正確な街景画として大量に制作する。

▼56　Josephe-Nicephore Niépce（一七六五―一八三三）フランスの発明家。写真技術の先駆者。瀝《れき》青《せい》の感光作用を利用して写真製版に成功する。

▼57　Frères Lumière　兄オーギュスト（一八六二―一九五四）、弟ルイ（一八六四―一九四八）の兄弟。フランスの発明家。映写機器製造の先駆者。撮影用カメラと投影機を一体化したシネマトグラフを発明し、映画の原型を築いた。

▼58　キャンパスに絵の具を垂らした色斑で表現する絵画技法。

▼59　ユン・ショウピン／うん・じゅへい（一六三三―一六九〇）中国清初の文人画家・書家。清朝時代における六大画家のひとりで、花鳥画の典型をつくった。輪郭線を描かずに絵の具のみを使って対象物を表現する「没骨《もっこつ》」という技法は、惲寿平によって完成されたと言われている。
▼60　中世の南フランスにおいてオック語で宮廷風恋愛詩を作り歌った詩人の総称。
▼61　中国文学のフランス語への翻訳に関しては、南京大学の高方の博士論文が二〇一六年にガルニエ社から出版された（Fang Gao, *La Traduction et la réception de la littérature chinoise moderne en France*, Garnier, 2016）。この研究書にはル・クレジオが序文を寄せている。
▼62　オスカー・ワイルドの『ドリアン・グレイの肖像』には、ヘンリー卿の科白《せりふ》として次の言葉を読むことができる。「青春を取り戻したいなら、過去の愚行を繰り返すにかぎる」
▼63　一九一九年、シュルレアリストのアンドレ・ブルトンはフランスの作家たちに「あなたはなぜ書くのか？」というアンケートをおこなった。『リベラシオン』紙は一九八五年三月の特別号で同じ問いかけを世界の作家四百人にした。
▼64　実際にはこの回答は巴金のものではなく、現代中国の作家王蒙《ワンモン》（一九三四―）のものである。Cf. J. F. Fogel et D. Rondeau, *Pourquoi écrivez-vous?*, Livre du poche, 1988, p. 86.
▼65　ジム・ジャームッシュ監督による二〇〇五年の映画。かつての多くの女性と恋愛を楽しんだ元プレイボーイが、自分の息子がいるという差出人不明の手紙を手に、昔の恋人たちを訪ねる旅に出る。第五十八回カンヌ国際映画祭において審査員特別グランプリを獲得。
▼66　韓国語の「향수（hyang-su）」には「郷愁」の意味と「香水」の意味がある。ル・クレジオは『ビトナ　ソウルの空の下で』（二〇一八）で、主人公の少女が創り出した架空の登場人物である女性

歌手にこの名を与えている。

▼67　ロートレアモン『ポエジーI』に見られる言葉。正確には「私は回想録を遺さないだろう（Je ne laisserai pas des Mémoires）」

▼68　ボードレール『赤裸の心』の一節。

▼69　原型は一世紀頃成立し、インドの大叙事詩『マハーバーラタ』に編入された。七百頌よりなり、骨肉相《あい》食《は》む戦いに懐疑をもつ王子アルジュナを、最高神ヴィシュヌの権化である御者クリシュナが鼓舞激励し宇宙の哲理を説く。ヒンドゥー教の最高聖典。

▼70　無尽蔵の食料と富を表す神話上のシンボル。果物と花で満たされた羊の角で表現される。ル・クレジオは『歌の祭り』（一九九七）所収「豊穣の角」で、ヨーロッパによるアメリカ大陸の征服を豊穣の角の神話と結びつけて論じている。

▼71　「シアトル首長のスピーチ」には複数のヴァージョンが存在するが、ル・クレジオの引用は*Idées et action*, bulletin de la F. A. O., Rome, juin 1976より。

▼72　一五五〇年から一五五五年にかけてスペインのフランシスコ会修道士ベルナルディーノ・デ・サアグンが、アステカの古老からの聞き取りをまとめた絵文書。スペインによるアステカ帝国征服の始まりから終わりまでが、アステカ人の視点から描かれている。

▼73　十四世紀に建国されたプレペチャ族のミチョアカン王国は、一五三〇年にスペインに征服された。一五四〇年頃にスペイン人修道士が、王国に仕えていた神官や要人によって語られた古《いにしえ》の叙事詩的物語を翻訳・筆記したものが『ミチョアカン報告書』である。ル・クレジオは一九八四年に『ミチョアカン報告書』のフランス語訳を上梓している（邦訳『チチメカ神話——ミチョアカン報告書』望

月芳郎訳、新潮社、一九八七年)。
▼74 インカ帝国創設から滅亡までの歴史と、人々の風習・文化とを織り上げ、その全貌を再構成する年代記『インカ皇統記』のこと。
▼75 一カ月のあいだに新月が二回あるとき、その二回目は「ブラック・ムーン」と呼ばれる。
▼76 サルトルの自伝『言葉』(一九六四年)の掉尾《ちようび》の文章。
▼77 エンパワーメント。「力」を意味するpowerに、「～の状態に」をあらわす接頭辞emをつけたempower(力を与える)の名詞形。
▼78 中国の神話では、人類を創造した女神である女媧《じよか》氏が、天の割れ目を石で修復したとされる。曹雪芹の『紅楼夢』はこの伝説から始まる。
▼79 文献のない先史社会と狭義の歴史時代に位置する社会との過渡期にある社会。
▼80 ル・クレジオは『メキシコの夢』(一九八八)所収の「原住民の夢」において、この祭に言及している。
▼81 ブルトン『シュルレアリスム宣言』より。
▼82 ロートレアモン『マルドロールの歌』第三歌より。
▼83 アルトー『冥府の臍』(一九二五)の冒頭の文章。
▼84 中国古代の地理書。古い部分は戦国時代(紀元前五世紀～三世紀)の作と推定される。主要な山系を中心に、その周辺の山川、産出生育する金石草木動物、遠国とその住民に関する神話、伝説などを記す。中国神話の基本資料として重要。晋の郭璞(二七六年～三二四年)によりほぼ現在の形になった。

▼85　ボルヘス『伝奇集』所収「トレーン、ウクバール、オルビス・テルティウス」の一節。

▼86　モンテスキュー『ペルシア人の手紙』では「スペインの本で唯一の良書は、ほかのあらゆる本の愚劣さを暴いた書物です」（手紙七十八）という書き方でセルバンテスの『ドン・キホーテ』を高く評価している。

▼87　古代インドのサンスクリット説話集。作者ソーマデーヴァがジャランダラ国の王女の憂悶《ゆうもん》を慰めるため、一〇六三年から一〇八一年まで約二十年を費やして書いたという。興味深い多数の挿話を包含し、古代インドの文化、社会状態を描き出している。

訳者あとがき

　ここに全訳した*Quinze Causeries en Chine. Aventure poétique et échange littéraire*, Gallimard, 2019は、原題（『中国での十五の講演　詩的冒険と文学的交流』）が示すように、二〇一一年から二〇一七年にかけてル・クレジオが中国でおこなった十五の講演をまとめたものである。編者の許鈞《シュジュン》は一九五四年生まれの南京大学外国語学部教授（現在は浙江大学教授）、翻訳学の泰《たい》斗《と》として知られ、『調書』、『砂漠』といったル・クレジオ作品の中国語訳を手がけている。本書はこの「長年にわたる翻訳者で、親しい友人」（一一七頁）を通して実現したル・クレジオと中国の出会いから生まれた。

　ル・クレジオの中国への関心そのものは、デビュー間もない二十代の頃にまで遡《さかのぼ》る。毛沢東主導のもと、紅衛兵と呼ばれる学生組織が動員され、既成の一切の価値を変革すると唱する文化大革命がはじまった時代である。次々と権威や権力をなぎ倒していく紅衛兵に刺激され、フランスでもマオイスム（毛沢東思想）を中心に中国に対する熱狂が広がり、政治の枠を超えて文化現象・社会現象となっていた。[1] 若者たちのあいだで中国熱が大きく高まっていた一九六七年、[2] ル・クレジオもまた「世界の秩序に真っ向から逆らった国でいまなにが起こっているのか知るために」兵役代替の海外協力役務として中国への派遣を希望したという。[3] しかしこの希望は叶えられることはなかった。実際に派遣されたのはタイ、そしてその翌年にはメキシコだったからだ。それ以降のル・クレジオは、一九九三年に駐中国フランス大使の案内で足早に主要都市をめぐった一回を除いては長らく中国に足を運ぶことはなく、中国文化の探究は、儒教や老荘思想といった古代哲学、『水滸伝』や『紅楼夢』、そして老舎《ラオシャー》の『四世同堂』といった文学作品など、もっぱら書物を通したものだった。

ル・クレジオがかつて果たせなかった現実の中国との出会いを実現するのは、最初のすれ違いから四十年以上もの年月が過ぎてからだ。人民文学出版社と中国外国文学協会が共同で主催する「二十一世紀最優秀外国小説」の二〇〇六年度作品に『ウラニア』が選ばれ、二〇〇八年一月の授賞式に出席したのを皮切りに、中国を毎年訪れるようになるのだ。とりわけ二〇一三年からは許鈞が教鞭をとる南京大学で招聘教授を務め、二〇一七年まで毎年秋の三カ月を中国ですごし、巨視的な展望のもとに文学と芸術と文学を論じる講義をおこなった。滞在中はシンポジウムや対談、あるいは単独講演に頻繁に招かれ、作家や文化人などと交流を重ねるとともに、中国各地を訪問している。[4] こういった経験を通してル・クレジオが中国文化に対する理解を大きく深化させていったことは、時代順に収められた本書の講演からも見て取れるだろう。初めの頃の講演ではごく限られた中国文学（『紅楼夢』と老舎）しか言及されないが、やがてル・クレジオの考察は墨子の思想や、中国の現代作家（莫言《モーイエン》や畢飛宇《ビーフェイユイ》）、そして古典詩、さらには現代中国における文学や教育のあり方にまで広がっていく。なかでも李白《リーバイ》をはじめとする唐代の詩には強く惹《ひ》きつけられたようで、本書刊行の翌年の二〇二〇年には北京大学教授の董強《ドンチャン》の協力のもと唐詩のアンソロジーを上梓している。▼5

「作家たちの都」、「書物と私たちの世界」、「科学と文学の関係」、「文学とグローバル化」、「自然、文学」……、ル・クレジオが中国各地で異なる聴衆を前におこなう講演のテーマは多岐にわたるが、その中心にはつねに文学が据えられている。そこで参照されるのは、聴衆に馴染《なじ》み深い中国文学や、『オデュッセイア』、『ドン・キホーテ』、『失われた時を求めて』、シェークスピアといった西洋文学の正典《カノン》にとどまらない。インドの『マハーバーラタ』、メソポタミアの『ギルガメシュ』などの叙事詩から、中世の騎士道物語、アフリカ諸国やラテンアメリカやカリブ海の文学、そして世界中のさまざまな言語で創作をつづける現代の若い作家たちまで、ル・クレジオは文字通り古今東西の文学作品を縦横に渉猟しながら、学問的厳密さに過度に拘《こう》泥《でい》することなく、自らの関心や直感に従って自在に論を展開するのだ。該博な知識に裏打ちされたル・クレジオのしなやかな感性は、個々の作品を既存の文学史の枠組みから解き放って世界文学の展望のもとに置き、その新たな魅力を教えてくれる。ときには、老舎とプルースト（一四二―一四四頁）、李白とアルド・レオポルド（一六一―一六二頁）、曹雪芹《ツアオシュエチン》とサッカレー（二〇二―二〇三頁）、あるいは古代メキシコのネサワルコヨトルとスペイン・バロック期の詩人フランシスコ・デ・ケベード（一九〇―一九一頁）など、時代も国もかけ離れた作品のあいだにある思いがけない連関を鮮やかに炙《あぶ》り出す。われわれの硬直した文学の見方に揺さぶりをかける本書は、文学創造の最先端を担う作家による刺激的な文学論である。

浩瀚《こうかん》きわまりない読書に支えられた文学論からも明らかなように、この作家にとっては読む《レク》営み《チュール》が書く営み《エクリチュール》と同じくらい、あるいはそれ以上に重要な意味を持っている。本書においてル・クレジオは作家になる前の自らの形成期に幾度となく言及する。そこには、自分という人間の原型を作り上げたのは読む営み《レクチュール》にほかならない、という認識がある。原点にあるのは戦後すぐの幼年時代、祖母の書棚で手に取った書物だった。幼いル・クレジオは、下の段の辞書や百科事典（なかでも『会話・読書辞典』）によって現実世界とは異なる「想像の世界」の豊かさを、上の段のモーパッサン『女の一生』によって作家の「書く技術」（八六頁）――言葉によって読者を別の世界に引き込む手腕――の見事さを見出《みいだ》したという。文学を発見したのは十歳の頃、祖父の書棚にあった『ラサリーリョ・デ・トルメスの生涯』とセルバンテスの『ドン・キホーテ』をまるで「自分自身の感情や経験が描かれている」（一〇六頁）かのように夢中で読みふけった少年は、やがてシェークスピア、ユゴー、ディケンズなど古典的文学作品を渉猟し、思春期にはボイエルの『カメレオン』から受けた衝撃によってサルトル、キングズリー・エイミス、マラパルテといった現代文学へ導かれていく。読書によって開かれるこの想像の世界はル・クレジオにとって、現実の世界に匹敵する現実性を持っていた。むしろ、現実世界を凌駕する、と言った方が適切かもしれない。想像の領域での冒険こそが、現実生活での発見に深みと実質を与え、実際の経験を強固にするのだから。自分が現実に抱いた感情は、読書から受けた印象と混じり合い、ときには自分自身の記憶が文学に取って代わられることもある。知性、感受性、さらには記憶にいたるまで、自分の人生をそのはじまりから養ってきたのは読む営み《レクチュール》にほかならない、と認識しているからこそ、ル・クレジオは半世紀以上に及ぶ自らの書く営み《エクリチュール》を振り返ってこう語るのだ。「自分が書くものは、以前読んで気に入った作品の延長、あるいは変奏でしかない」（一三六―一三七頁）と。

このような読む営み《レクチュール》の重視は、本書に収められた十五の講演を貫くル・クレジオの文学観にも色濃く反映されている。そのことを確認するために、二〇〇八年のノーベル賞講演[▼6]を振り返ってみよう。この講演の冒頭で「人はなぜ書くのか」という根源的な問いを提示したル・クレジオは、作家という存在が抱えている本質的な矛盾――現実を変革するための行動を願うものの、書くことは行動しないことと同義である――を直視し、それを引き受けたうえで、改めて文学の必要性を問い直した。ただ「逆説の森のなかで」では、矛盾を孕《はら》んだ作家のあり方を浮き彫りにすることに力点が置かれ、文学の必要性については必ずしも明確に示されているとは言いがたい。しかし本書においては、ノーベル賞講演の問題意識をある程度まで共有しながらも、むしろ一貫して文学の持つ力に対する強い確信と希望に焦点が当てられている。この「文学に対する信頼」（二二八頁）を支えるのが、二〇〇八年の講演では前景化していなかった読む《レクチュール》営みの重要性だ。本書でル・クレジオが向き合っているのは「人はなぜ読むのか」という問いなのだ。

たしかに文学には現実に直接働きかける力はない。「社会参加《アンガージュマン》の文学」が過去のものとなったいま、文学によっては「世界にはびこる不正も、戦争も、不景気も、なにひとつとして押しとどめることはできない」（二九頁）と誰もが知っている。公のモラルの外側に位置している以上、文学には社会生活を送るうえでの模範的人間を提示することもできない。作家にできるのはただ、自らの内奥に眼を凝《こ》らし、沈殿している諸々の感覚を言葉によって出現させること、あまりに短すぎる人生に「物質性を与えて虚無から救い出す」（一三二頁）ことだけだ。こうした作家個人の利己的な幸福を追求するための文学は、現実世界における実益という観点では、もちろんオスカー・ワイルドが言うように「無用」でしかない。

しかし「個人的かつ個別的で、偏向している」（七〇頁）にもかかわらず、いや、それだからこそ、文学は普遍性を持ちうる、とル・クレジオは考える。言語によって作られる以上、文学は「誰かと分かち合うもの」（一四〇頁）、「人間同士を結びつけるもの」（一〇八頁）である。すぐれた文学作品を読むとき人は、作家の言葉に導かれて自分を限界づける諸々の条件から抜け出し、別の人間になってそこに描かれた現実の一部となる。それは、絶対的に異質な他者の個別性、特殊性を受け入れると同時に、差異を超えて立ち現れてくる普遍的な「人間」を媒介として、他者のなかに自分自身を見出す経験にほかならない。だからこそ老舎の『四世同堂』を読む人は、たとえ満州族の出身ではなくても、往事の北京の生活を知らなくても、日本占領下の庶民の苦しみを経験していなくても、登場人物たちの生を人類という大きな家族の一員として自ら生きることができるのだ。たしかに文学は特定の時代と状況に規定された作家の個別性を語るにすぎず、現実世界を直接変える力を持ってはいない。しかし、それを読む者が共感的想像力を通して他者の同化と自己の異化を同時におこなうことによって、文学は世界の多様性を自らの内に招き入れるための「開かれた窓」となる。「人類が奏でる合唱をそのテーマや転調のあらゆる豊かさを含めて聞き取る素晴らしい手段」（五九―六〇頁）となる。まさにこの点において、ル・クレジオは文学に「心理的・地理的な境界を越えて人間存在の総体を表現し、特権も偏見もない平等な関係が築かれるような新しい世界」（一八五頁）を作り出す力を見出しているのだ。

より良い世界を志向するこの文学観は、当然のことながら現在の世界に対する批判を前提としている。ル・クレジオがなによりも強い危機感を抱いているのは、今日しきりに喧伝されているグローバル化が文化にもたらす影響に対してである。グローバル化自体はけっして悪ではない。国や地域などの境界を越えた世界規模での交流が、医学や技術の分野での明らかな進歩をもたらしてきたのは厳然たる事実である。だが、画一化と平準化への動きを本質的に孕むこのグローバル化は、帝国主義による世界の植民地化が別の相貌をまとったものではないか。かつて限られた列強諸国が自分たちの言語や価値観を支配下の国々に押しつけたのと同じように、現在の世界は経済的成功を達成した一部の国々の言語や価値観によって支配されているのではないか。文化の序列化にもとづくこの支配の構造は、偏狭な自国中心主義、人種差別、外国人排斥といった差異の否定と容易に結びつく。その行き着く先は「ただひとつの言語、ただひとつの声、ただひとつのリズムに支配される」（九三頁）世界、文化の多元性を許容しない世界だ。

このような現状認識のもと、ル・クレジオは異文化間の対話の重要性を繰り返し説く。異なる文化との出会いと交流こそが文化を豊かにするからであり、「それぞれの声が役割を担い、どの声も他に優越することがないような対話」(四五頁)こそが平和を約束する鍵になるからだ。この主張そのものは取り立てて目新しいものではない。ル・クレジオの独自性は、異文化間交流の担い手として文学に特権的な役割を与える点にある。文化の相互浸透と変容を可能にするのは、インターネットや映画といった現代的メディアではなく、言語を――熟考や練り上げを経た書き言葉を――伝達手段とする文学だけなのだ。文学は人間同士を結びつけるだけにとどまらない。異なる文化を互いに結びつける架け橋でもある。たしかに文学作品は特定の土地や社会や言語の産物であり、その文化の刻印が深く刻み込まれている。しかし、ある土地固有の植物の種子が別の土地に運ばれ、在来種との異種交配をおこなって新種を生み出し、その土地の植生を変容させるように、文学作品も自らを生み出した文化圏の外に出て、別のさまざまな文化圏に根を下ろし、混淆を通してそこに新たな豊かさをもたらす。

文学を「文化を伝達する媒体」(二〇七頁)として捉えるならば、かつてのような「中心/周縁」の区別はもはや意味を持たない。どの土地で書かれたものであっても、どの言語で書かれたものであっても、文学は「その多様性によって、そして翻訳という素晴らしい営みによって、世界中のあらゆる声を聞かせることができる」(七四頁)という点においていずれも等しく重要であり、欠かすことはできないのだから。もちろん、ル・クレジオのこの言葉をあまりに楽観的すぎると批判することも可能だろう。翻訳というプロセスを経ることによって元の声はなにがしかの変形を否応なく被ってしまい、本来の響きとは微妙に異なる響きしか聞くことができないのではないか。しかしル・クレジオは、翻訳を通じて失われるものを嘆くのではなく、翻訳を通じて新たに得られるものを積極的に認める立場を取る。限りない差異と多様性を前提とした無数の声の共同体としての文学、それこそが「異なる人々をつなぐ架け橋となって、文化の相互理解を後押し」（二一〇頁）し、不寛容に根ざした暴力が蔓延する現代の世界の変革と、より良い世界の実現をもたらしうる。本書を通して一貫して響いてくるのは、文学の未来に対するこの揺るぎない希望である。

ただ、文化の多元性の名のもとに大国の覇権主義を糾弾するル・クレジオの文明批評には、ある種の偏《かたよ》りが見られるのも事実である。本書においてル・クレジオは、現代でもなお形を変えてつづく征服国家（欧米諸国、そして日本）による世界の植民地化を繰り返し断罪する一方、中国の言論封殺や国内少数民族の弾圧、帝国主義的拡張政策などについては一言も触れない。実際、本書刊行後のフランス国内の文芸ジャーナリズムでも、著者が表明する文学や書物へ向ける愛に関しては好意的に受け入れるものの、中国という国家の現在と未来を手放しで称賛するその政治的態度の曖昧さには疑問を呈する声も聞かれた。[7] ル・クレジオのこの沈黙は、（編者の「序」からもうかがえるように）最大級の好意で迎えてくれる招待国への配慮なのか、それとも他に理由があるのか。これまで作家は人種差別や移民排斥をはじめ時事的問題に敏感に反応し、メディアを通して世界と社会の不正に対して積極的に声を上げてきただけに、中国の現状に目を向けようとしないこの姿勢に違和感を覚える読者も少なくないだろう。

このような点を含めても、本書はノーベル文学賞受賞以後の作家ル・クレジオの文学観・文明観を多面的に照らし出す興味深い一冊である。古代から現代にいたる文学や文化を世界規模で捉えたうえで論が展開されることもあり、本書には数多くの固有名詞が登場する。そのなかから主に文学者を取り上げ、付録として「人名小事典」を作成した。ル・クレジオが語る世界文学の広大な海に乗り出す一助となれば幸いである。フランス近現代文学という限られた領域を専門とする訳者にとっても、本書の翻訳は世界文学の広大な沃野に目を開く機会となった。翻訳の機縁を作ってくださった中地義和先生と、出版に関するあらゆる面でお世話になった作品社の青木誠也さんに心より感謝申し上げたい。

二〇二二年三月

鈴木雅生

▼1　リチャード・ウォーリンは文化大革命が当時のフランスに与えた衝撃を次のように書いている。
一九六七年は中国的だった。パリには、マオイズムの人気を示す徴候があふれていた。「マオ・カラー」と呼ばれる詰襟のスーツが大変な流行だった。どんなに切らすまいとしても、パリの粋な十六区のブティックは在庫を確保できなかった。「左岸」の書店は書店で、『毛主席語録』が常時品切れ状態だった。『プレイボーイ』のフランス版『リュイ』は、ほとんど何も身につけていないモデルに麦わら帽子や赤い星や「紅衛兵」の衣装をあしらって、八ページの見開き特集を設け、中国びいきの時流に乗ることを決めた。そこにつけられたキャプションは、毛語録からの抜粋だった。

（『一九六八　パリに吹いた「東風」』、福岡愛子訳、岩波書店、二〇一四、一二二頁）

▼2　ゴダールがその映画『中国女』で毛沢東主義を信奉する若者たちの姿を描いたのも一九六七年である。

▼3　本書出版後の二〇一九年六月十一日にフランスのラジオ局France Cultureで放送されたインタビューより（https://www.franceculture.fr/oeuvre/quinze-causeries-en-chine）。

▼4　ル・クレジオの中国での活動については次の年表に詳しい。Song Ki Jeong, Nakaji Yoshikazu et Zhang Lu, « Chronologie. Séjours de Le Clézio en Asie », *Cahiers J.-M. G. Le Clézio*, no. 13, Les Éditions Passage(s), 2020, pp. 169-186.

▼5　J. M. G. Le Clézio, *Le flot de la poésie continuera de couler*, Éditions Philippe Rey, 2020.

▼6　ル・クレジオ「逆説の森のなかで」、星埜守之訳、『すばる』、二〇〇九年三月号、一二〇―一三六頁。

▼7　例えば*Le Figaro Magazine*誌と*L’Obs*誌の評者による対談形式のビデオ書評「Clash Culture」（« Fallait-il publier les “Causerie en Chine” de Le Clézio? », publié le 14 juin 2019: https://video.lefigaro.fr/figaro/video/clash-culture-fallait-il-publier-les-quinze-causeries-en-chine-de-j-m-g-le-clezio/）や、モントリオールの日刊紙*Le Devoir*の書評（Louis Hamelin, « Un innocent en Chine », *Le Devoir*, 10 janvier 2020: https://www.ledevoir.com/opinion/chroniques/570494/un-innocent-en-chine）など。

【著者・訳者略歴】

J・M・G・ル・クレジオ（Jean-Marie Gustave Le Clézio）

1940年、南仏ニース生まれ。1963年のデビュー作『調書』でルノドー賞を受賞し、一躍時代の寵児となる。その後も話題作を次々と発表するかたわら、インディオの文化・神話研究など、文明の周縁に対する興味を深めていく。主な小説に、『大洪水』（1966）、『海を見たことがなかった少年』（1978）、『砂漠』（1980）、『黄金探索者』（1985）、『隔離の島』（1995）、『嵐』（2014）、『アルマ』（2017）、『ビトナ　ソウルの空の下で』（2018）など、評論・エッセイに、『物質的恍惚』（1967）、『地上の見知らぬ少年』（1978）、『ロドリゲス島への旅』（1986）、『ル・クレジオ、映画を語る』（2007）などがある。2008年、ノーベル文学賞受賞。

鈴木雅生（すずき・まさお）

1971年、東京都生まれ。東京大学文学部卒業。パリ第四大学博士。現在、学習院大学文学部教授。専攻はフランス近現代文学。著書に、*J.-M.G. Le Clezio : évolution spirituelle et littéraire. Par-delà l'Occident moderne*（L'Harmattan）、『フランス文化事典』（共編著、丸善出版）など、訳書に、サン＝テグジュペリ『戦う操縦士』（光文社古典新訳文庫）、J・M・G・ル・クレジオ『心は燃える』（作品社、共訳）、『地上の見知らぬ少年』（河出書房新社）、ベルナルダン・ド・サン＝ピエール『ポールとヴィルジニー』（光文社古典新訳文庫）、ジェニフェール・ルシュール『三島由紀夫』（祥伝社新書）、レーモン・クノー『きびしい冬』（水声社）などがある。

ル・クレジオ、文学と書物への愛を語る

2022年6月10日初版第1刷印刷
2022年6月15日初版第1刷発行

著　者　J・M・G・ル・クレジオ
編　者　許鈞《シュジュン》
訳　者　鈴木雅生

発行者　青木誠也
発行所　株式会社作品社
〒102-0072　東京都千代田区飯田橋2-7-4
TEL.03-3262-9753　FAX.03-3262-9757
https://www.sakuhinsha.com
振替口座00160-3-27183

装　幀　水崎真奈美（BOTANICA）
本文組版　前田奈々
編集担当　青木誠也
印刷・製本　シナノ印刷株式会社

ISBN978-4-86182-895-9 C0098

【作品社の本】

ヴェネツィアの出版人

ハビエル・アスペイティア著　八重樫克彦、八重樫由貴子訳

“最初の出版人”の全貌を描く、ビブリオフィリア必読の長篇小説！
グーテンベルクによる活版印刷発明後のルネサンス期、イタリック体を創出し、持ち運び可能な小型の書籍を開発し、初めて書籍にノンブルを付与した改革者。さらに自ら選定したギリシャ文学の古典を刊行して印刷文化を牽引した出版人、アルド・マヌツィオの生涯。

ISBN978-4-86182-700-6

悪しき愛の書　**フェルナンド・イワサキ著　八重樫克彦、八重樫由貴子訳**

9歳での初恋から23歳での命がけの恋まで——彼の人生を通り過ぎて行った、10人の乙女たち。バルガス・リョサが高く評価する“ペルーの鬼才”による、振られ男の悲喜劇。ダンテ、セルバンテス、スタンダール、プルースト、ボルヘス、トルストイ、パステルナーク、ナボコフなどの名作を巧みに取り込んだ、日系小説家によるユーモア満載の傑作長篇！

ISBN978-4-86182-632-0

誕生日　**カルロス・フエンテス著　八重樫克彦、八重樫由貴子訳**

過去でありながら、未来でもある混沌の現在＝螺旋状の時間。家であり、町であり、一つの世界である場所＝流転する空間。自分自身であり、同時に他の誰もである存在＝互換しうる私。目眩めく迷宮の小説！『アウラ』をも凌駕する、メキシコの文豪による神妙の傑作。

ISBN978-4-86182-403-6

逆さの十字架　**マルコス・アギニス著　八重樫克彦、八重樫由貴子訳**

アルゼンチン軍事独裁政権下で警察権力の暴虐と教会の硬直化を激しく批判して発禁処分、しかしスペインでラテンアメリカ出身作家として初めてプラネータ賞を受賞。欧州・南米を震撼させた、アルゼンチン現代文学の巨人マルコス・アギニスのデビュー作にして最大のベストセラー、待望の邦訳！

ISBN978-4-86182-332-9

天啓を受けた者ども　**マルコス・アギニス著　八重樫克彦、八重樫由貴子訳**

合衆国南部のキリスト教原理主義組織と、中南米一円にはびこる麻薬ビジネスの陰謀。アメリカ政府と手を結んだ、南米軍事政権の恐怖。アルゼンチン現代文学の巨人マルコス・アギニスの圧倒的大長篇。野谷文昭氏激賞！

ISBN978-4-86182-272-8

マラーノの武勲　**マルコス・アギニス著　八重樫克彦、八重樫由貴子訳**

「感動を呼び起こす自由への賛歌」——マリオ・バルガス＝リョサ絶賛！　16～17世紀、南米大陸におけるあまりにも苛烈なキリスト教会の異端審問と、命を賭してそれに抗したあるユダヤ教徒の生涯を、壮大無比のスケールで描き出す。アルゼンチン現代文学の巨匠アギニスの大長篇、本邦初訳！

ISBN978-4-86182-233-9

【作品社の本】

悪い娘《こ》の悪戯《いたずら》 マリオ・バルガス＝リョサ著 八重樫克彦、八重樫由貴子訳

50年代ペルー、60年代パリ、70年代ロンドン、80年代マドリッド、そして東京……。世界各地の大都市を舞台に、ひとりの男がひとりの女に捧げた、40年に及ぶ濃密かつ凄絶な愛の軌跡。ノーベル文学賞受賞作家が描き出す、あまりにも壮大な恋愛小説。 ISBN978-4-86182-361-9

無慈悲な昼食 エベリオ・ロセーロ著 八重樫克彦、八重樫由貴子訳

「タンクレド君、頼みがある。ボトルを持ってきてくれ」地区の人々に昼食を施す教会に、風変わりな飲んべえ神父が突如現われ、表向き穏やかだった日々は風雲急。誰もが本性をむき出しにして、上を下への大騒ぎ！ 神父は乱酔して歌い続け、賄い役の老婆らは泥棒猫に復讐を、聖具室係の養女は平修女の服を脱ぎ捨てて絶叫！ ガルシア＝マルケスの再来との呼び声高いコロンビアの俊英による、リズミカルでシニカルな傑作小説。 ISBN978-4-86182-372-5

顔のない軍隊 エベリオ・ロセーロ著 八重樫克彦、八重樫由貴子訳

ガルシア＝マルケスの再来と謳われるコロンビアの俊英が、母国の僻村を舞台に、今なお止むことのない武力紛争に翻弄される庶民の姿を哀しいユーモアを交えて描き出す、傑作長篇小説。スペイン・トゥスケツ小説賞受賞！ 英国「インデペンデント」外国小説賞受賞！

ISBN978-4-86182-316-9

外の世界 ホルヘ・フランコ著 田村さと子訳

〈城〉と呼ばれる自宅の近くで誘拐された大富豪ドン・ディエゴ。身代金を奪うために奔走する犯人グループのリーダー、エル・モノ。彼はかつて、“外の世界”から隔離されたドン・ディエゴの可憐な一人娘イソルダに想いを寄せていた。そして若き日のドン・ディエゴと、やがてその妻となるディータとのベルリンでの恋。いくつもの時間軸の物語を巧みに輻輳させ、プリズムのように描き出す、コロンビアの名手による傑作長篇小説！ アルファグアラ賞受賞作。

ISBN978-4-86182-678-8

密告者 フアン・ガブリエル・バスケス著 服部綾乃、石川隆介訳

「あの時代、私たちは誰もが恐ろしい力を持っていた――」名士である実父による著書への激越な批判、その父の病と交通事故での死、愛人の告発、昔馴染みの女性の証言、そして彼が密告した家族の生き残りとの時を越えた対話……。父親の隠された真の姿への探求の果てに、第二次大戦下の歴史の闇が浮かび上がる。マリオ・バルガス＝リョサが激賞するコロンビアの気鋭による、あまりにも壮大な大長篇小説！ ISBN978-4-86182-643-6

蝶たちの時代 フリア・アルバレス著 青柳伸子訳

ドミニカ共和国反政府運動の象徴、ミラバル姉妹の生涯！ 時の独裁者トルヒーリョへの抵抗運動の中心となり、命を落とした長女パトリア、三女ミネルバ、四女マリア・テレサと、ただひとり生き残った次女デデの四姉妹それぞれの視点から、その生い立ち、家族の絆、恋愛と結婚、そして闘いの行方までを濃密に描き出す、傑作長篇小説。全米批評家協会賞候補作、アメリカ国立芸術基金全国読書推進プログラム作品。 ISBN978-4-86182-405-0

【作品社の本】

すべて内なるものは　エドウィージ・ダンティカ著　佐川愛子訳

全米批評家協会賞小説部門受賞作！　異郷に暮らしながら、故国を想いつづける人びとの、愛と喪失の物語。四半世紀にわたり、アメリカ文学の中心で、ひとりの移民女性としてリリカルで静謐な物語をつむぐ、ハイチ系作家の最新作品集、その円熟の境地。

ISBN978-4-86182-815-7

ほどける　エドウィージ・ダンティカ著　佐川愛子訳

双子の姉を交通事故で喪った、十六歳の少女。
自らの半身というべき存在をなくした彼女は、家族や友人らの助けを得て、アイデンティティを立て直し、新たな歩みを始める。全米が注目するハイチ系気鋭女性作家による、愛と抒情に満ちた物語。

ISBN978-4-86182-627-6

海の光のクレア　エドウィージ・ダンティカ著　佐川愛子訳

七歳の誕生日の夜、煌々と輝く満月の中、父の漁師小屋から消えた少女クレアは、どこへ行ったのか――。海辺の村のある一日の風景から、その土地に生きる人びとの記憶を織物のように描き出す。全米が注目するハイチ系気鋭女性作家による、最新にして最良の長篇小説。

ISBN978-4-86182-519-4

地震以前の私たち、地震以後の私たち
それぞれの記憶よ、語れ

エドウィージ・ダンティカ著　佐川愛子訳

ハイチに生を享け、アメリカに暮らす気鋭の女性作家が語る、母国への思い、芸術家の仕事の意義、ディアスポラとして生きる人々、そして、ハイチ大地震のこと――。
生命と魂と創造についての根源的な省察。カリブ文学OCMボーカス賞受賞作。

ISBN978-4-86182-450-0

ウールフ、黒い湖　ヘラ・S・ハーセ著　國森由美子訳

ウールフは、ぼくの友だちだった――オランダ領東インド。農園の支配人を務める植民者の息子である主人公「ぼく」と、現地人の少年「ウールフ」の友情と別離、そしてインドネシア独立への機運を丹念に描き出し、一大ベストセラーとなった〈オランダ文学界のグランド・オールド・レディー〉による不朽の名作、待望の本邦初訳！

ISBN978-4-86182-668-9

ランペドゥーザ全小説　附・スタンダール論

ジュゼッペ・トマージ・ディ・ランペドゥーザ著　脇功、武谷なおみ訳

戦後イタリア文学にセンセーションを巻きおこしたシチリアの貴族作家、初の集大成！
ストレーガ賞受賞長編『山猫』、傑作短編「セイレーン」、回想録「幼年時代の想い出」等に加え、著者が敬愛するスタンダールへのオマージュを収録。

ISBN978-4-86182-487-6

【作品社の本】

骨を引き上げろ　ジェスミン・ウォード著　石川由美子訳　青木耕平附録解説

全米図書賞受賞作！　子を宿した15歳の少女エシュと、南部の過酷な社会環境に立ち向かうその家族たち、仲間たち。そして彼らの運命を一変させる、あの巨大ハリケーンの襲来。フォークナーの再来との呼び声も高い、現代アメリカ文学最重要の作家による神話のごとき傑作。

ISBN978-4-86182-865-2

歌え、葬られぬ者たちよ、歌え

ジェスミン・ウォード著　石川由美子訳　青木耕平附録解説

全米図書賞受賞作！　アメリカ南部で困難を生き抜く家族の絆の物語であり、臓腑に響く力強いロードノヴェルでありながら、生者ならぬものが跳梁するマジックリアリズム的手法がちりばめられた、壮大で美しく澄みわたる叙事詩。現代アメリカ文学を代表する、傑作長篇小説。

ISBN978-4-86182-803-4

戦下の淡き光　マイケル・オンダーチェ著　田栗美奈子訳

1945年、うちの両親は、犯罪者かもしれない男ふたりの手に僕らをゆだねて姿を消した――。母の秘密を追い、政府機関の任務に就くナサニエル。母たちはどこで何をしていたのか。周囲を取り巻く謎の人物と不穏な空気の陰に何があったのか。人生を賭して、彼は探る。あまりにもスリリングであまりにも美しい長編小説。

ISBN978-4-86182-770-9

名もなき人たちのテーブル　マイケル・オンダーチェ著　田栗美奈子訳

わたしたちみんな、おとなになるまえに、おとなになったの――11歳の少年の、故国からイギリスへの3週間の船旅。それは彼らの人生を、大きく変えるものだった。仲間たちや個性豊かな同船客との交わり、従姉への淡い恋心、そして波瀾に満ちた航海の終わりを不穏に彩る謎の事件。映画『イングリッシュ・ペイシェント』原作作家が描き出す、せつなくも美しい冒険譚。

ISBN978-4-86182-449-4

ヤングスキンズ　コリン・バレット著　田栗美奈子・下林悠治訳

経済が崩壊し、人心が鬱屈したアイルランドの地方都市に暮らす無軌道な若者たちを、繊細かつ暴力的な筆致で描きだす、ニューウェイブ文学の傑作。世界が注目する新星のデビュー作！　ガーディアン・ファーストブック賞、ルーニー賞、フランク・オコナー国際短編賞受賞！

ISBN978-4-86182-647-4

孤児列車　クリスティナ・ベイカー・クライン著　田栗美奈子訳

91歳の老婦人が、17歳の不良少女に語った、あまりにも数奇な人生の物語。火事による一家の死、孤児としての過酷な少女時代、ようやく見つけた自分の居場所、長いあいだ想いつづけた相手との奇跡的な再会、そしてその結末……。すべてを知ったとき、少女モリーが老婦人ヴィヴィアンのために取った行動とは――。感動の輪が世界中に広がりつづけている、全米100万部突破の大ベストセラー小説！

ISBN978-4-86182-520-0

ハニー・トラップ探偵社　ラナ・シトロン著　田栗美奈子訳

「エロかわ毒舌キュート！　ドジっ子女探偵の泣き笑い人生から目が離せません（しかもコブつき）」――岸本佐知子さん推薦。スリルとサスペンス、ユーモアとロマンス――一粒で何度もおいしい、ハチャメチャだけど心温まる、とびっきりハッピーなエンターテインメント。

ISBN978-4-86182-348-0

【作品社の本】

ユドルフォ城の怪奇　全二巻　**アン・ラドクリフ著　三馬志伸訳**

愛する両親を喪い、悲しみに暮れる乙女エミリーは、叔母の夫である尊大な男モントーニの手に落ちて、イタリア山中の不気味な古城に幽閉されてしまう（上）。悪漢の魔の手を逃れ、故国フランスに辿り着いたエミリーは、かつて結婚を誓ったヴァランクールと痛切な再会を果たす。彼が犯した罪とはなにか（下）。刊行から二二七年を経て、今なお世界中で読み継がれるゴシック小説の源流。イギリス文学史上に不朽の名作として屹立する異形の超大作、待望の本邦初訳！

ISBN978-4-86182-858-4、859-1

ヴィクトリア朝怪異譚

ウィルキー・コリンズ、ジョージ・エリオット、メアリ・エリザベス・ブラッドン、マーガレット・オリファント著　三馬志伸編訳

イタリアで客死した叔父の亡骸を捜す青年、予知能力と読心能力を持つ男の生涯、先々代の当主の亡霊に死を予告された男、養女への遺言状を隠したまま落命した老貴婦人の苦悩。日本への紹介が少なく、読み応えのある中篇幽霊物語四作品を精選して集成！　ISBN978-4-86182-711-2

ゴーストタウン　**ロバート・クーヴァー著　上岡伸雄、馬籠清子訳**

辺境の町に流れ着き、保安官となったカウボーイ。酒場の女性歌手に知らぬうちに求婚するが、町の荒くれ者たちをいつの間にやら敵に回して、命からがら町を出たものの――。書き割りのような西部劇の神話的世界を目まぐるしく飛び回り、力ずくで解体してその裏面を暴き出す、ポストモダン文学の巨人による空前絶後のパロディ！　ISBN978-4-86182-623-8

ようこそ、映画館へ　**ロバート・クーヴァー著　越川芳明訳**

西部劇、ミュージカル、チャップリン喜劇、『カサブランカ』、フィルム・ノワール、カートゥーン……。あらゆるジャンル映画を俎上に載せ、解体し、魅惑的に再構築する！　ポストモダン文学の巨人がラブレー顔負けの過激なブラックユーモアでおくる、映画館での一夜の連続上映と、ひとりの映写技師、そして観客の少女の奇妙な体験！　ISBN978-4-86182-587-3

ノワール　**ロバート・クーヴァー著　上岡伸雄訳**

“夜を連れて”現われたベール姿の魔性の女「未亡人」とは何者か!?　彼女に調査を依頼された街の大立者「ミスター・ビッグ」の正体は!?　そして「君」と名指される探偵フィリップ・M・ノワールの運命やいかに!?　ポストモダン文学の巨人による、フィルム・ノワール／ハードボイルド探偵小説の、アイロニカルで周到なパロディ！　ISBN978-4-86182-499-9

老ピノッキオ、ヴェネツィアに帰る

ロバート・クーヴァー著　斎藤兆史、上岡伸雄訳

晴れて人間となり、学問を修めて老境を迎えたピノッキオが、故郷ヴェネツィアでまたしても巻き起こす大騒動！　原作のオールスター・キャストでポストモダン文学の巨人が放つ、諧謔と知的刺激に満ち満ちた傑作長篇パロディ小説！　ISBN978-4-86182-399-2

【作品社の本】

ビトナ　ソウルの空の下で

J・M・G・ル・クレジオ著　中地義和訳

田舎町に魚売りの娘として生まれ、ソウルにわび住まいする大学生ビトナは、病を得て外出もままならない裕福な女性に、自らが作り出したいくつもの物語を語り聞かせる役目を得る。少女の物語は、そして二人の関係は、どこに辿り着くのか——。ノーベル文学賞作家が描く人間の生。

ISBN978-4-86182-887-4

アルマ

J・M・G・ル・クレジオ著　中地義和訳

自らの祖先に関心を寄せ、島を調査に訪れる大学人フェルサン。彼と同じ血脈の末裔に連なる、浮浪者同然に暮らす男ドードー。そして数多の生者たち、亡霊たち、絶滅鳥らの木霊する声……。父祖の地モーリシャス島を舞台とする、ライフワークの最新作。ノーベル文学賞作家の新たな代表作！

ISBN978-4-86182-834-8

心は燃える

J・M・G・ル・クレジオ著　中地義和・鈴木雅生訳

幼き日々を懐かしみ、愛する妹との絆の回復を望む判事の女と、その思いを拒絶して、乱脈な生活の果てに恋人に裏切られる妹。先人の足跡を追い、ペトラの町の遺跡へ辿り着く冒険家の男と、名も知らぬ西欧の女性に憧れて、夢想の母と重ね合わせる少年。ノーベル文学賞作家による珠玉の一冊！

ISBN978-4-86182-642-9

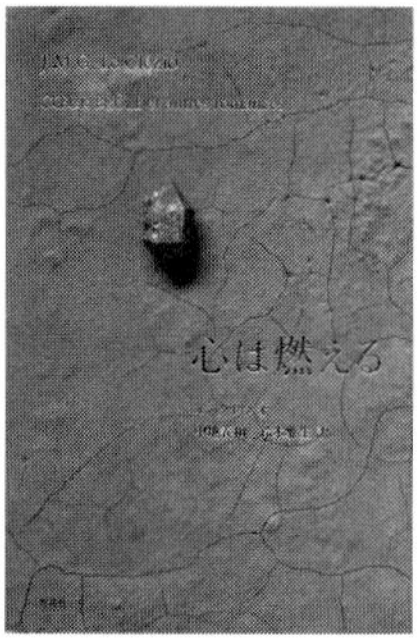

嵐

J・M・G・ル・クレジオ著　中地義和訳

韓国南部の小島、過去の幻影に縛られる初老の男と少女の交流。ガーナからパリへ、アイデンティティーを剝奪された娘の流転。ル・クレジオ文学の本源に直結した、ふたつの精妙な中篇小説。ノーベル文学賞作家の最新刊！

ISBN978-4-86182-557-6

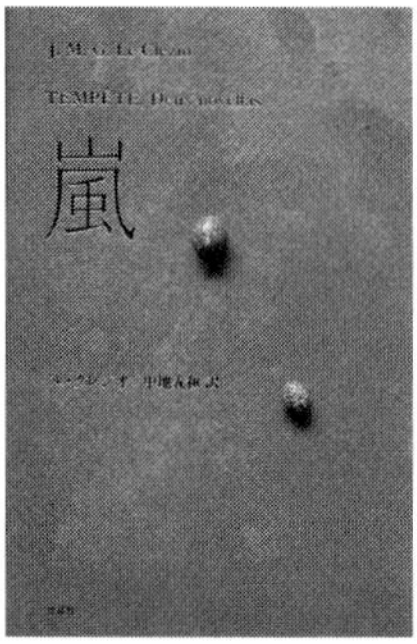

ブルターニュの歌

J・M・G・ル・クレジオ著　中地義和訳

[近刊]